D1235035

LE VIN
À LA BELLE ÉTOILE

GÉRARD BERTRAND

LE VIN
À LA BELLE ÉTOILE

Éditions de La Martinière

ISBN : 978-2-7324-7069-6

Une marque de la société EDLM
Connectez-vous sur :
www.editionsdelamartiniere.fr

RÉALISATION : NORD COMPO À VILLENEUVE-D'ASCQ
IMPRESSION : NORMANDIE ROTO S.A.S. À LONRAI
DÉPÔT LÉGAL : JANVIER 2015 N° 122511 (1500533)
Imprimé en France

Remerciements

À Ingrid, Emma et Mathias
À Jean, Yann, Jean-Michel, Sophie et Virginie
À ma famille
À mes collaborateurs
À mes amis.

Préface

Gérard le Conquérant

Promontoire de la Méditerranée dominant Gruissan la Médiévale, L'Hospitalet – où les parfums dansent dans une multitude de vents qui soufflent dans tous les sens, des sens qu'ils exacerbent –, est le domaine où l'on appelle Gérard Bertrand « le Grand ». Avec respect et une pointe d'admiration.

Culminant à près de deux mètres, « le Grand », ça lui convient puisque ça le résume. Cependant, dans son cas – car le monsieur est un cas –, ce mot dépasse l'apparence physique pour toucher à la véritable envergure du personnage. Gérard Bertrand, c'est pour moi Gérard le Conquérant, un cep d'or lui sert de sceptre pour réveiller les esprits cathares errant dans la région. Guillaume le Conquérant, roi d'Angleterre et maître d'une partie de la France, est né à Falaise en Normandie, c'est donc du haut d'une autre falaise que Gérard l'Occitan veille sur son empire vinicole. De Narbonne, dans l'Aude, jusqu'au cœur du pays catalan, à Tautavel, où un *Homo erectus* a vécu il y a quelque 700 000 ans sur un sol qui voit, depuis quinze siècles, monter de ses profondeurs la vigne proposant le grenache noir comme cépage dominant.

Être un géant, avoir des bras pour enserrer une famille et un pack d'amis, un cœur pour abriter ses semblables de passage, une force mentale de rugbyman rocailleux et, s'il le faut, rock and roll dans les troisièmes mi-temps et aussi les soirs de son festival de jazz, là, à L'Hospitalet, qui rime avec hospitalité, Gérard ressemble étrangement à un pluriel à lui seul. Il pourrait reprendre à son compte le « Soyons réalistes, exigeons l'impossible » de Che Guevara, car, à sa manière, autrement plus paisible, lui, plus avec les moyens du bar que ceux du bord, il est aussi un révolutionnaire dans sa partie.

Branché cosmos, il tutoie les étoiles la nuit en marchant dans ses vignes. Assurant : « L'influence de la Lune, du Soleil et des astres est fondamentale, particulièrement celle des planètes [...] plus lointaines, extérieures au Soleil : Mars, Jupiter et Saturne. » Avançant : « Combien de fois avons-nous entendu les parents demander à leurs enfants de cracher les pierres qu'ils mettaient dans leur bouche ? En vérité, les enfants, naturellement et inconsciemment, goûtent les minéraux pour se connecter à la nature. Je n'ai jamais vu d'enfants avaler des cailloux. »

Il se situe là, Gérard, entre mysticisme et réalisme, affirmant « la nature est plus intelligente que nous ». Relayeur de sagesse d'un père auquel il doit tant, lequel, en tant qu'arbitre, faisait respecter la loi sur les terrains de rugby à une époque où c'était la foire d'empoigne. Georges Bertrand lui permit de découvrir l'Hexagone au fil des matches qu'il suivait dans son sillage, avant de devenir un vaillant soldat d'Ovalie, doué pour le combat aérien et doté d'une solide paire d'alibophies (à Marseille, les parties généreuses de l'homme).

Georges plaça au pied des vignes et de ses premières responsabilités le gamin de dix ans qu'était Gérard en lui déclarant : « Quand tu auras cinquante ans, tu auras quarante ans d'expérience. » Ce qui est le cas aujourd'hui, « au midi de sa vie » comme le dit joliment l'auteur de ce livre porté par la sincérité, l'amour de la vigne et des gens qui, avec ses vins, fartent élégamment leur gosier devenu gouttière du bonheur.

Voici un pluriel d'années, j'ai dormi chez Gérard dans sa propriété de Cigalus, au milieu des vignes et des cigales qui lui ont donné son nom. Ses conversations avec Ingrid, femme de caractère – il en faut pour jouter avec un Gérard Bertrand –, leurs enfants Emma et Mathias tendant l'oreille, m'ont permis d'apprécier la solidité monolithique de ce fils de la nature en pleine maturité. L'humour étant à fleur de lippe, pas comme un garde-fou, plus comme un « écarte flou » car cet homme carré n'est pas du genre à accepter la moindre compromission. Un homme de deux mètres debout, ça se voit et on sait qu'il existe !

Revenir à la propriété en compagnie d'une centaine d'invités, dans un camp du drap d'or dressé à l'occasion du festival de jazz de L'Hospitalet, sous la bienveillante surveillance de Prunelle, petit bouledogue, derviche tourneur sur pattes, et du colossal Bounty, un bull mastiff qui semble né avec les premiers hommes de Tautavel, voilà qui me fit chaud au cœur. Ici, le partage prend tout son sens, l'amitié qui en émane donne soif : trinquer est un geste religieux, on respecte le sang de la terre.

Compter parmi tes amis, Gérard, s'avère source d'énergie. Moi, pour qui la bouteille est toujours à moitié pleine. Pleine de ces vins où le soleil se mélange avec la lune. *Le Vin à la belle étoile*, c'est toi, pleinement toi. Je lève mon verre à notre amitié !

Jean Cormier

Avant-propos

Saint-André-de-Roquelongue, Narbonne, les Corbières, le Minervois, le Languedoc, le Roussillon, le sud de la France.

Des territoires, des histoires, des climats et des hommes qui, depuis les Romains, puis les Wisigoths et les Cathares, ont fortement imprégné la culture de notre région. J'ai toujours ressenti dès ma plus tendre enfance l'énergie, le souffle, l'âme de ce pays.

Narbonne la Romaine, Béziers la Cathare, Perpignan la Catalane, Carcassonne la Cité, puis plus récemment Montpellier, la Contemporaine, ont forgé leur caractère au cours des vingt derniers siècles à travers leurs rivalités, leurs souffrances, leur orgueil, mais aussi leur capacité d'accueil et leur art de vivre.

Le vin depuis les Romains, le rugby plus récemment trouvent dans cette région un terreau fertile au développement économique, social et culturel. Ma grand-mère Paule, mon père Georges, ma mère Geneviève, mes oncles et mes tantes ont tous été bercés par Dionysos. Je ne saurais échapper à cet atavisme, à ce langage occitan, à cette empreinte bordée par la Méditerranée et traversée par la diversité des terroirs.

Passant d'une économie de cueillette à une économie de production, puis de marché, notre région viticole a longtemps eu, selon l'expression consacrée, une guerre de retard. Peut-être nourrissait-elle un complexe vis-à-vis des puissantes – Bordeaux, la Bourgogne, la

Champagne –, ou plus certainement avons-nous trouvé confortable la position de l'assisté ou de l'effronté.

Quel paradoxe d'avoir créé en 1531, à l'abbaye de Saint-Hilaire, dans l'Aude, le premier vin effervescent au monde – la blanquette de Limoux – puis, trois siècles et demi plus tard, développé des coopératives agricoles et viticoles afin de fédérer les énergies, et pourtant d'avoir tant tardé à révéler *urbi et orbi* nos origines, notre spécificité, notre diversité, notre vérité ! Lors de la crise de 1907, marquée par la révolte des viticulteurs du Languedoc, Marcelin Albert, fer de lance de la protestation, est devenu un héros populaire en revendiquant une hausse du prix du vin et un avenir meilleur pour notre métier. Cette période a marqué notre région au fer rouge.

Dès mes premières vendanges, en 1975, mon père Georges Bertrand m'initie aux vertus du travail bien fait, au souci des mille et un détails indispensables à l'élaboration d'un vin de qualité. L'exigence est en marche, elle ne me quittera plus. Qualité, savoir-faire, faire savoir alimentent sans cesse mes réflexions et aiguisent ma volonté. Du début de l'aventure jusqu'à ce jour, chaque millésime renforce mes convictions, nourrit mes pensées, affermit mon caractère. Rivaliser avec les meilleurs, affirmer le potentiel de ma région, révéler ses racines, sa culture sont devenus ma principale raison de vivre. Il ne s'agit plus d'un métier, mais d'une profession de foi, mêlant les terroirs, les techniques, l'économie, les ressources humaines, le marketing, au service d'une vision partagée et d'une stratégie de conquête.

J'ai vécu ces trente dernières années comme un parcours initiatique. L'apprentissage de la vie de famille, le goût prononcé des rencontres, des voyages, la dégustation de grands vins et la lecture guident mon chemin. Donner du sens à sa vie est toujours une priorité, une recherche perpétuelle favorisées par une éducation ayant mêlé amour, respect, tolérance, esprit de compétition et dépassement de soi.

D'une dimension physique à une dimension métaphysique, du conscient au subconscient, de l'esprit à l'âme, le vin s'affirme, se révèle, unit les pensées et les sentiments, cultive le lien social et délivre des messages. La main de l'homme taille la vigne avec respect, la régénère année après année, l'entretient par une agriculture de précision favorisant l'épanouissement du végétal, en harmonie avec son biotope et sa biosphère.

Il m'a fallu prendre le temps nécessaire pour comprendre les subtilités du métier de vigneron. Être en contact avec la terre et le cosmos, lié à mes semblables par la vigne, cette plante qui, par la transmutation du raisin, révèle les arômes de tous les autres fruits, telle est l'essence de mon travail.

Il y a vingt-cinq ans, la rencontre d'un thérapeute inspiré, Francis Mazel, médecin homéopathe, fait germer en moi la volonté de cultiver la vigne en biodynamie. D'abord à Cigalus, pendant huit ans, nous développons avec une équipe dévouée, compétente et passionnée les préceptes de Rudolf Steiner. Au bout d'une période de purgatoire, nous ressentons les effets bénéfiques de cette méthode sur l'état des vignobles, la biodiversité et la qualité des vins.

Les vignobles de L'Hospitalet, de La Sauvageonne et des Karantes ont suivi cette mouvance et plus récemment ceux de Tarailhan, Aigle, Aigues-Vives et La Soujeole, soit plus de trois cent cinquante hectares.

Qu'est-ce que le vin ? Un mélange hydroalcoolique, une boisson, un breuvage, un produit culturel, un lien social, un messager, tout cela à la fois ?

L'esprit de l'homme ouvre le champ de toutes les possibilités. La prise de conscience n'est que la conséquence d'un long processus complexe de maturation. J'ai tenté, après mûre réflexion, de hiérarchiser les différents niveaux d'appréhension du vin en relation étroite avec les organes des sens, ouvrant la porte à d'autres découvertes.

D'abord le plaisir : c'est le service minimal que l'on doit garantir au consommateur. La vue, l'odorat, la mise en bouche délivrent les arômes du cépage.

Ensuite, le goût révèle le terroir et transcende le palais, cet organe que Jean Cormier appelle « la gouttière du bonheur ». Il met en avant la typicité des régions, les appellations d'origine.

L'émotion, beaucoup plus rare, se déplace vers le cœur et nécessite l'alchimie particulière d'un grand vin partagé entre amis, servi à la bonne température dans un verre adapté et sur des mets délicieux.

Enfin le message, l'ultime voyage transcendantal offert par le vin, ouvre la conscience à l'infini à travers le néocortex. Il s'agit d'une expérience extatique que l'on peut recevoir par la grâce de Dieu en rencontrant le vigneron, en visitant son terroir et en communiant avec lui autour d'un vieux millésime.

J'ai eu l'honneur et le privilège de partager ces étapes avec Aubert de Villaine, propriétaire et gérant du domaine de La Romanée-Conti. Cette expérience m'a appris qu'il était nécessaire d'ajouter une quatrième dimension, spirituelle, dans mon travail de précision, afin d'aller encore plus loin dans la recherche d'absolu.

En 1997, me promenant sur les contreforts de la montagne Noire, à La Livinière, j'ai éprouvé une sensation étrange dans une parcelle de garrigue bordée de murets en pierre sèche et dominée par une ancienne bergerie en ruine. Quelques mois plus tôt, j'ai acquis ce lieu magique en rachetant le château Laville-Bertrou. L'obsession de sublimer ces vieux carignans et syrahs ne me quittera plus. Nous replantons les cépages mourvèdre et grenache afin de réaliser un assemblage d'identité méditerranéenne.

Au bout de dix longues années de réflexion, d'échanges, de recherche intérieure indispensable pour arriver à une certaine forme de clairvoyance, je décide de rebâtir la bergerie et de la transformer en chai de vinification et d'élevage, en y réservant un espace dédié à la méditation. Ce bâtiment unique, entouré de vignes et de végétation méditerranéenne aux quatre points cardinaux, donne à ce lieu une dimension sacrée qui sublime le potentiel d'un terroir d'exception.

Ici naît le Clos d'Ora.

Je dispose, dans ma recherche d'excellence, de l'enseignement de Rudolf Steiner, de sa compréhension du microcosme et du macrocosme, et de ses conseils éclairés et détaillés en agriculture biodynamique. Je perçois aussi les messages contenus dans certains vins multidimensionnels, magnifiés par le génie du vigneron.

Comment l'influence de la Lune et des planètes, interagissant avec la silice et le calcaire contenus dans le sol, peut-elle trouver un prolongement dans la dégustation du vin ?

L'information, le temps, l'espace, l'énergie, l'esprit, l'âme constituent l'essence d'un vin d'exception. Ce vin est connecté à son terroir, à ses cépages, à son climat, mais aussi à l'Univers. Ainsi, j'ai osé expérimenter une nouvelle voie mêlant la biodynamie et l'esprit quantique.

En essayant de mieux comprendre l'Univers, de l'infiniment grand à l'infiniment petit, j'ai pris conscience que les intuitions, les prémonitions ne passent pas par notre esprit mais sont reliées directement à notre âme, cette particule de Dieu en chacun de nous. Il faut avoir la volonté de se relier au champ infini de potentialité. Cette connexion passe par l'intention.

Dès le début, au Clos d'Ora, dans un environnement exceptionnel, mon intention a été de créer un vin délivrant un message de paix, d'amour et d'harmonie.

Étant au midi de ma vie, j'ai ressenti le besoin de vous faire partager ma quête et mon élan pour cette terre du Languedoc.

I

PARCOURS INITIATIQUE

1

Mes racines

Je suis un enfant des Corbières, une région naturelle, un terroir, mais aussi une appellation d'origine située dans le département de l'Aude.

« L'Aude, c'est la petite France », écrivait l'historien et climatologue Emmanuel Leroy-Ladurie. Ce département rassemble une diversité de paysages, allant de la mer Méditerranée jusqu'aux contreforts pyrénéens. L'eau, le soleil, le vent, la montagne, tout y est exacerbé, parfois à l'état brut. Seuls les vestiges du passé romain, wisigoth et cathare nous rappellent que cette terre nous oblige, nous élève, nous habite.

J'aime me promener en hiver sur la route de la vallée du Paradis en direction des citadelles du vertige. D'abord Aguilar, qui scrute l'horizon au-delà du mont Tauch, le royaume des sangliers dans l'enclave des vins de Fitou ; puis, après Tuchan, je prends la direction de Cucugnan. Ce village ressemble à un paradis perdu où l'on vit en symbiose avec la nature. La cueillette des fruits et des légumes, la chasse au gros et au petit gibier y rythment les saisons. Quand les beaux jours arrivent, les touristes se font plus nombreux à visiter les deux châteaux cathares qui bordent le village : Quéribus et Peyrepertuse.

Si le vent s'invite au parcours, les sensations sont garanties et il devient nécessaire de s'aider de la cordelette pour monter les innombrables marches donnant accès à la tour principale. Je recommande une visite solitaire de ces lieux, un tournant décisif dans les tourments et la tragédie de cette région. Une fois arrivé au sommet, le souffle un peu court, le cœur palpitant, on se laisse d'abord envahir par la force brute du lieu, puis, osant regarder plus loin vers les plaines du Roussillon, résonne en nous un appel à la communion, un écho favorable au loin, un besoin fondamental de comprendre le destin de ces hommes ayant osé faire évoluer le dogme de l'Église afin d'être en harmonie avec leur vision christique.

Sept cents ans plus tard, la nature de leur message se fait toujours sentir avec autant de puissance. Vivre dans un dénuement total et affronter en hiver la pluie, le vent et le froid exigent une ascèse, une volonté et une foi communicative.

Nous les aimons, ces hommes qui bravent l'interdit, disent non à l'obscurantisme, résistent aux attaques de Simon de Montfort, l'exécuteur des basses œuvres. Ne pouvant reconnaître les purs des impurs, Arnaud Amaury ordonne à son armée, un soir à Béziers : « Tuez-les tous, Dieu reconnaîtra les siens ! »

Le comportement pacifique des Cathares les engagea dans une joute verbale, un prêche annonciateur, une volonté de respecter l'origine de la parole et du verbe. Leur doctrine jouissait aussi d'une grande popularité au château de Montségur, en Ariège, qui défie encore l'apesanteur et nous impose le plus profond respect. Elle gagna ensuite l'Albigeois, où les batailles furent féroces et la chasse aux hommes effrayante. Albi et Béziers se transformèrent en bûchers.

Nous sommes les descendants de ces hérauts, car nos ancêtres ont vécu cette tragédie, cette période difficile dans l'écoute, l'apprentissage, le partage, puis le tumulte, la peur et l'effroi. On peut temporairement contraindre à la raison les esprits les plus vifs, contrôler le peuple, l'obliger au renoncement, lui imposer des rites, un modèle de pensée, mais la force de l'esprit, l'onde du message, le courage de la lutte, l'insoumission témoignent de l'amour absolu en un Dieu égal pour tous, connecté à l'Univers, à la nature, relié directement à chacun de nous par la prière, mais aussi par le travail, la culture de la vigne et de l'olivier.

Narbonne, la Romaine, a été protégée de l'hérésie cathare. Béziers, sa voisine, s'est trouvée au cœur de ce dénouement terrible.

De 1960 à 1985, le symbole de cette ville a été son club de rugby, l'AS Béziers. En guerre contre le pouvoir fédéral, quelques hommes dont Raoul Barrière, l'entraîneur légendaire de l'époque dorée du club, subliment le message cathare en transformant des joueurs de rugby en chevaliers des temps modernes. Ils imposent leur désir de conquête, leur soif de vaincre, leur style unique fondé sur la puissance, la technique et la communion des esprits. Le rouge et le bleu rayonnent sur la France du rugby. Une année sur trois, ils laissent s'égarer le bouclier de Brennus – le trophée du championnat de France de rugby à XV, encore un symbole de combat –, sur les chemins des sous-préfectures du Sud-Ouest.

En 1974, quinze fiers Narbonnais emmenés par les frères Spanghero et le génie de Jo Maso défient la rivale Béziers et échouent, à un coup de pied diabolique d'Henri Cabrol, dans les ultimes secondes. Le Languedoc fait la fête à Paris. Alain Poher est président de la République par intérim et Valéry Giscard d'Estaing signe dans les tribunes ses premières dédicaces annonçant son prochain septennat.

En 1979, Claude Spanghero, Lucien Pariès, François Sangalli et leur bande du RC Narbonne, au diapason d'un jeu calculé et précis, s'emparent du trophée. Je suis alors au collège Victor-Hugo, interne et enfermé toute la semaine derrière ces murs épais où le soleil nous donne rendez-vous uniquement de 11 heures à 15 heures. Ce lundi matin, nous avons la surprise de recevoir dans la cour de l'établissement les joueurs et les supporters, revenus par le train de la capitale, ivres de joie et de ripaille. Je touche ce bouclier qui, déjà, envahit mes rêves juvéniles et me projette sur ces années de conquête avec mes frères d'armes narbonnais.

Dès l'âge de cinq ans, j'abandonne mon cartable le soir venu, après le goûter, afin de refaire avec Serge, Régis, Angel, le match du dimanche. Nous vivons dans la rue. Notre terrain de jeu est limité par la maison de mon oncle à gauche et celle de mes parents à droite. La pelouse est couleur bitume et les gravillons pèlent nos genoux cagneux. Six jours sur sept, pendant deux à trois heures, nous refaisons les matchs avec passion, fougue et engouement. J'apprends là toutes mes gammes : l'art de la feinte de passe, du coup de pied par-dessus, le sens du surnombre. Nous sommes résolument portés vers l'attaque. Étant le plus jeune, je compense le déficit de taille et de poids par la vitesse et la dextérité, soit l'art de l'évitement.

Le dimanche suit le rythme du calendrier de mon père Georges, vigneron et courtier en vins la semaine, et réservant le dimanche à sa passion pour le ballon ovale. Être arbitre, après avoir eu une bonne carrière de joueur, à Carmaux, Perpignan et Bizanet, prolonge le plaisir d'être sur le terrain au plus près du jeu et des joueurs. Le rugby, plus qu'un sport, est l'expression d'une identité culturelle. Béziers la puissante, Narbonne la rebelle, Bayonne les Basques bondissants, Mont-de-Marsan les esthètes, Toulon les passionnés, Nice les renégats, le Racing Club de France les cols blancs, Brive les rugueux, Montferrand les nantis s'affrontent tous les dimanches à 15 heures.

Un week-end sur deux, avec mon père et ma mère Geneviève, nous prenons la direction de l'une ou l'autre de ces villes afin de donner le coup d'envoi du match. Ma sœur Guylaine reste se faire câliner par notre grand-mère chérie. J'ai le plaisir de découvrir tous les stades de France avant d'y jouer. Je suis impressionné par la taille des joueurs et attiré par les avants, les puissants, mais aussi les plus avenants à me signer des autographes. Mon père, réputé intransigeant, aime les matchs qui sentent le soufre. L'arbitre doit s'imposer autant par sa force de conviction que par celle de son sifflet. C'est viril et pas souvent correct. Les caractères s'affrontent et souvent les « lutins » font pencher la balance. Astre, Sutra, Fouroux, Pebeyre, puis Gallion, Sanz, Martinez, Élissalde sont des tempéraments trempés, cornaquant leurs équipes, tirant les meilleurs des avants et distillant au compte-gouttes les ballons aux trois-quarts, instaurant toujours un rapport de force avec leurs vis-à-vis et l'arbitre. Les demis de mêlée sont des généraux. Ils mènent les troupes avec discipline, rigueur et sagacité. Le rugby, c'est l'école de la vie. Une fois passé le sentiment de crainte de voir mon père orchestrer cette tragédie du dimanche après-midi, je me laisse envahir par la passion et l'énergie dégagées par ce spectacle.

Comme elle est belle, cette France du Sud, cette tradition de l'échange mêlant le sens du sacré à celui du sacrifice ! Le dimanche, le rituel est d'aller à la messe à 10 heures puis au bistrot, avant de passer à table, où le cassoulet rivalise avec les pieds de porc, la garbure, la bouillabaisse, les rognons de veau ou la daube, en fonction des saisons et des recettes locales. Ensuite vient le temps de partir pour le stade afin de prendre place trente minutes avant le coup d'envoi, scruter les équipes à l'échauffement et les jours de derby commencer à jurer contre les vauriens d'en face.

Les repas de famille dépendent souvent du calendrier des équipes. Mon père est le dernier de neuf enfants et maman l'aînée de huit. Quelle chance d'avoir une si grande famille, quel plaisir lors des mariages, des communions, de festoyer et de se sentir membre d'un clan, d'une tribu ! Les racines familiales sont essentielles à mon épanouissement. La moitié de ma famille habite à Saint-André-de-Roquelongue, un village de huit cent treize habitants. L'autre moitié vit entre Narbonne et Lézignan.

Nous enfourchons nos vélos, direction la piscine de Lézignan. Chaque jour, avec les copains, nous parcourons quatorze kilomètres dans un sens pour prendre le bain, puis autant au retour. Dans le village, dès que le temps le permet, nous vivons dehors. Il n'y a pas la télévision, et il est bien plus agréable pour les filles de jouer à la marelle et pour les garçons à la pétanque.

L'hiver, avant le repas du soir, on se retrouve rituellement chez ma grand-mère pour une veillée familiale. On ne parle que l'occitan. Il est interdit de discuter de politique et ma grand-mère prend soin d'éviter les disputes entre mes différents oncles et tantes. Les radicaux-socialistes d'un côté et les gaullistes de l'autre. Deux visions de la politique. La passion est à fleur de peau, surtout après deux ou trois quinquinas maison. Il vaut mieux parler rugby ou viticulture, tout le monde étant d'accord.

De retour de la guerre d'Algérie, mon père s'installe comme courtier en vins et nourrit des ambitions pour le devenir de la cave coopérative du village. Il décide de se présenter à la présidence et est battu de justesse, sans doute parce que son projet est trop avant-gardiste. Cet échec est sa chance : il se retire, négocie le rachat à la famille Caillard du domaine de Villemajou, et démarre en 1973 son premier millésime.

Ayant repéré le potentiel de ce terroir de Boutenac, où les vieux carignans tortueux produisent un divin nectar, il est l'un des premiers à vinifier, sur les conseils avisés d'Henri Dubernet, le carignan en grappe entière. Cette technique développe le goût, les arômes et la puissance de ce cépage.

Les galets roulés jonchent les vignes de cette partie des Corbières. Quelques fûts de chêne d'occasion achetés à des châteaux réputés du Bordelais permettent à Georges Bertrand de s'initier à l'élevage en barrique. Il faut être courageux, dans une région où la tendance locale est la vente de vins de table au négoce et le coupage avec les vins d'Algérie ou d'Italie, pour affirmer que nous avons des terroirs, des cépages dignes non pas encore de rivaliser avec les meilleurs, mais certainement de garantir une origine, un goût, un savoir-faire naissant.

Comme le négoce de vin régional ne joue plus une partition favorable au développement du premier vignoble du monde, mon père et quelques amis, dont Yves Barsalou, futur président du Crédit agricole – avec pour seul diplôme le certificat d'études, chapeau maestro ! –, décident de créer un nouveau modèle de regroupement viticole, baptisé Société d'intérêt coopératif agricole. C'est le début d'une aventure passionnante et d'un nouvel élan pour cette région. La structure est encore embryonnaire : les bureaux au rez-de-chaussée de notre maison familiale, un laboratoire de fortune, ma maman comme secrétaire, et deux aides de camp. Déguster tous les jours deux cents vins, les noter, les classer, remplir des fiches, ainsi se déroulent les matinées de mon père. L'après-midi, direction les marchés de Narbonne, Béziers, Beaucaire ou Sallèles-d'Aude afin de développer les ventes. S'affranchir du négoce est alors impossible. Il faut petit à petit convaincre que ces vins sont différents, élégants, racés, typés. L'image des vins du Midi est encore catastrophique : celle du gros rouge qui tache.

Avoir vingt ans d'avance sur son temps a causé bien des tourments à Georges, cultivé des incompréhensions, des jalousies, des rancœurs. Pourquoi vouloir changer un système, qui n'a certes plus d'avenir mais qui rassure et satisfait une majorité de viticulteurs menant, dans une économie de cueillette, une existence rythmée par la vigne, la chasse, la pêche, la pétanque et le repos annuel à la mi-août sur les plages de Port-la-Nouvelle, rebaptisée « la plage des Corbières ».

Les premiers pas sont toujours les plus difficiles. Il faut avoir la passion chevillée au corps, la foi en bandoulière pour travailler durement à un avenir meilleur pour notre région. Mon père commence à produire différemment avec des techniques modernes, en définissant le style des vins de chaque terroir, et prend son bâton de pèlerin pour vendre d'abord aux restaurants locaux, puis très rapidement aux groupes nationaux de grande distribution. Les premiers succès arrivent. Le vin du domaine de Fontsainte, propriété appartenant à Yves Laboucarié – ami de la famille –, est servi à la table de l'Élysée. Quel retentissement dans notre région quand *L'Indépendant*, le journal local, relate la bonne nouvelle ! L'histoire est en marche.

2

Le temps de l'apprentissage

Il est temps pour moi de commencer à participer. J'ai dix ans, ma sœur Guylaine quinze mois de plus. Ma mère mène l'équipe des vendangeurs ; ma grand-mère, à soixante-quinze ans, est toujours là à couper le raisin. Rendre service est une évidence. D'abord le week-end, puis pendant une quinzaine de jours. Mon père décide : Guylaine à la vigne et Gérard à la cave. Je contribue, modestement bien sûr, à vinifier mon premier millésime en 1975. On utilise ma petite taille pour entrer dans les cuves, les nettoyer, trier les raisins, vider les comportes et visser les manches. Vivant dix heures par jour avec les cavistes, j'observe tout, en particulier la rigueur et la minutie du maître de chai, mon oncle Paul Griffoul. Mon père passe, goûte les vins, donne les instructions. J'essaie de comprendre cette alchimie : comment des raisins n'ayant pas de goût peuvent devenir au bout de quelques jours du vin à la couleur intense, aux arômes puissants et délicats. Cela ressemble pour moi à un tour de magie.

Chaque soir, à mon retour à la maison, je me laisse envahir par les senteurs de la cuisine espagnole qui embaume le village. À base de pommes de terre rissolées et de jambon ibérique, elle imprègne tout le quartier où cent cinquante personnes se sont installées pour trois semaines. J'avale rapidement mon dîner et je retrouve mes copains sur la grand-place chaque soir pour refaire le match France-Espagne. La rivalité est à son comble. Les Espagnols sont toujours plus techniques que nous, mais nous avons l'avantage de jouer à domicile. La partie dure souvent plus de deux heures et mélange les générations. On n'a jamais essayé de jouer au rugby contre eux, car la plupart n'ont jamais vu un ballon ovale !

Au bout de quinze jours passés à la cave, il est temps de rentrer à l'école. Le dernier jour au chai, mon père vient me chercher. Je monte dans sa voiture. Il me regarde et dit : « Tu sais, Gérard, tu as de la chance, car quand tu auras cinquante ans, tu auras quarante ans d'expérience. » Il est vrai qu'on ne vendange qu'une fois par an ; autant commencer le plus tôt possible. Le message prend une autre signification quand, un jour d'octobre 1987, mon père disparaît tragiquement dans un accident de voiture. J'ai vingt-deux ans. Mon service militaire au bataillon de Joinville, section rugby, est terminé. J'ai rejoint officiellement mon père dans son entreprise trois mois plus tôt et souhaite être préservé quelque temps afin de pouvoir assouvir ma passion pour le rugby, étant titulaire depuis deux années dans mon club d'origine, le Racing Club narbonnais, lequel fait partie de l'élite du rugby français.

Le destin en décide autrement. Le 2 novembre, avec l'accord de ma mère et de ma sœur, j'ouvre à 7 heures du matin les portes aux cinq employés et leur annonce que je reprends le flambeau. Pas de place au doute, je suis prêt.

Le 27 octobre au soir, après le dîner, mon père m'a dit : « Reste un peu, il faut qu'on parle. » Il m'a expliqué sa vision pour la viticulture et m'a prodigué des conseils sur ma carrière professionnelle naissante, ainsi que sur celle de rugbyman. Je suis allé me coucher deux heures plus tard que prévu, inspiré par ses confidences. Mon père a une très forte personnalité, et il est plus facile pour moi d'écouter que de solliciter l'échange. De manière inconsciente et prémonitoire, il a ressenti le besoin de me délivrer son dernier message.

Cinq ans plus tôt, en 1982, il a été marqué par sa rupture avec les vignerons de Septimanie, dont il était le leader charismatique, le chef de bande. Lentement, mais profondément, s'était installée en lui une vision différente de l'avenir de cette entreprise qui, ayant connu une forte croissance externe, avait en partie renié le message d'origine pour répondre plus vite aux sirènes du marché.

La vision de Georges Bertrand – une construction pyramidale édifiée sur l'expression du terroir et la valeur ajoutée –, partagée par une minorité, est alors mise en difficulté. Malgré les premiers succès notoires, il est difficile d'avoir raison trop tôt et de faire face à l'immobilisme ambiant, en ayant la responsabilité de gérer des intérêts collectifs. Il quitte ce groupe et revient sur le domaine familial. Ses talents de commerçant animent aussi un des plus beaux cabinets de courtage de la région. Heureusement, la famille proche et les amis du rugby lui permettent de recentrer ses priorités et de préparer également mon arrivée dans l'équipe. Il effectue des missions de consultant auprès des négociants émergeant sur la voie de la qualité. Son expertise, ses compétences et son savoir-faire sont demandés.

Ce dernier soir du 27 octobre, il m'explique que l'avenir est au modèle familial, garant d'une continuité et d'une vision partagée dans la lignée des grandes réussites, comme celles de Moueix, Guigal ou Dubœuf en France et de Torres, Mondavi ou Antinori à l'international.

J'apprends beaucoup au cours des nombreux dîners que maman organise avec les importateurs du domaine et je m'imprègne de la poésie de mon père, contant les vins. Je rencontre à cette occasion Alain Favereau, certainement l'un des meilleurs dégustateurs français, toujours en poste après quarante-cinq ans de carrière pour les établissements Nicolas. Je le retrouverai quinze ans plus tard avec le même professionnalisme, la même connaissance encyclopédique, la même rigueur d'analyse et la même ascèse.

Dégustateur de vins ou goûteur de vins. Le second considère que la destination finale du produit est d'être bu à table et donc évalué dans les conditions du repas. Au cours du déjeuner familial, nous validons toujours les assemblages préparés par mon père. L'avis de ma mère et de ma sœur est souvent sollicité. Les femmes, d'une manière générale, sont plus sensibles à l'amertume et donnent une réponse plus spontanée. Une seule remarque liée à l'amer et il faut tout recommencer. Je conserve aujourd'hui ce cérémonial en sollicitant l'avis de ma femme Ingrid et de mes enfants Emma et Mathias.

Un vin est, ou n'est pas, aligné et en équilibre. On entre ici dans le domaine du subtil, du ressenti et de la précision ultime. J'ai beaucoup aimé partager les séances de dégustation et d'assemblage avec mon père. C´est la meilleure école, celle de l'apprentissage et de la rigueur à une époque plus dure qu'aujourd'hui, où chaque avancée ouvrait les portes d'un territoire inconnu. Les références sont Émile Peynaud, Jean-Claude Berrouet et Michel Bettane. Les consciences du vin sont Lalou Bize-Leroy, gardienne du temple des terroirs et des vins de La Romanée-Conti, Nicolas Joly, le révélateur de la culture en biodynamie et Jancis Robinson, la voix des femmes du vin dans le monde.

En ce temps-là, Robert Parker finit encore ses études et les critiques anglais, tels que Hugh Johnson et Steven Spurrier, gouvernent le monde. La conquête de l'Ouest, la mondialisation des échanges en sont à leurs débuts. En Californie, un homme incarne la vision de ce nouvel eldorado : Robert Mondavi. Il ouvre une nouvelle voie en révélant le goût des cépages, plus facile et moins mystérieux que l'approche par le terroir. La compétition est lancée. La quête de l'or rouge intéresse tous les puissants du monde. Au Japon se développe un profond respect pour les vins français. Les Chinois s'éveillent et apprécient le prestige des grands châteaux de Bordeaux. L'image de la France dans le monde contribue à la renommée des Bordelais et des Champenois et donne accès à la course aux vins de Sancerre, du Beaujolais et des côtes-du-Rhône.

Les vins du Midi traînent encore leur image de vins de table, mais portent en eux les germes d'un avenir meilleur. Quelques illuminés, par intuition plus que par connaissance, déchiffrent le potentiel. Les premières pages du livre sont ouvertes. Il reste à écrire l'histoire des vins du sud de la France. La catégorie n'est pas encore organisée. D'un côté, il y a l'école des cépages, menée avec panache par Robert Skalli, le premier à comprendre le formidable potentiel du Languedoc à produire des vins répondant à la demande internationale. De l'autre côté se tiennent les traditionalistes, considérant le terroir comme la clef du succès. Les frères Jeanjean, Jacques Berges-Grulet, Aimé Guibert, Aimé et André Cazes sont les contemporains de l'action menée par mon père et sa bande de vignerons des Corbières. La mise en bouteille à la propriété garantit l'origine et rassure les consommateurs des vins de notre région.

Deux défis me tendent les bras : l'espoir de devenir champion de France de rugby, et la révélation du potentiel des vins de notre région. Choisir, c'est renoncer. Je décide de mener de front les deux carrières.

Un matin de l'hiver 1993, alors que je m'apprête à faire ma tournée des vignobles, je reçois un coup de téléphone. « Bonjour, M. Bertrand. Je suis Christophe Blanck, nouveau directeur des achats du groupe Carrefour. J'ai entendu parler de vous et je voudrais vous rencontrer. » Il descend me voir dans le Sud. Durant une journée entière, nous visitons plusieurs caves et dégustons une centaine de vins. J'explique mes activités de vigneron et de consultant pour quelques très bons domaines. Il me lance : « Voulez-vous être le dénicheur de Carrefour pour les vins du Languedoc et du Roussillon ? Nous devons revoir nos gammes et proposer davantage de produits de qualité à nos clients. Je vous propose de goûter les vins des négociants régionaux et de les noter. » Après réflexion, j'accepte l'offre, en sachant déjà que ça va secouer dans le landerneau régional. Je présente les vins de qualité et suis sans complaisance pour les autres. Je reçois quelques menaces, mais ayant les épaules assez larges, je gagne la partie et contribue à faire avancer la notoriété de ma région chez le deuxième distributeur mondial. Après deux années de bons et loyaux services, je mets un terme à la mission en choisissant de développer mes propres cuvées.

3

Le rugby, école de la vie

Mener une double vie, sportive et professionnelle, tel est mon quotidien pendant huit années. Mon apprentissage de rugbyman, commencé dans les rues du village, se prolonge à l'école de rugby dirigée par mon oncle Paul Bertrand. Avec mon père, en 1974, ils ont redonné vie à ce club fondé en 1913 et mis en sommeil depuis l'après-guerre. À Georges l'aspect sportif et à Paul tout le reste.

Je vis cette époque dans l'engouement suscité par la passion de ces deux frères, par leurs caractères différents. Mon père s'occupe des relations humaines. Il a l'art de motiver les joueurs et de les préparer au combat. Les débuts sont difficiles. Le terrain est très sec et le sol de mauvaise qualité. La pelouse est envahie de chiendent, une mauvaise herbe tenace et vivace. En été apparaissent des « goussets » – des petits clous végétaux entrant directement dans les muscles.

Les entraînements de rugby ont lieu le soir. À partir du mois d'octobre, la lumière de la lune sert d'éclairage. Mon père invente les entraînements sans ballon. Les joueurs, dont la majorité débute dans le sport, deviennent à force de courses effrénées de bons athlètes. Un soir où le terrain est inondé, au lieu de rentrer à la maison, on pratique le cross-country à travers les vignes, les chemins et les routes, en courant avec des chaussures à crampons. Les pieds en sang, tout le monde retourne au vestiaire. J'ai douze ans et participe à cette aventure humaine, essentielle pour mon développement personnel. J'aime vivre avec les adultes, l'oisiveté de l'adolescence n'étant pour moi qu'une perte de temps. Je veux devenir grand, m'émanciper et participer à cette aventure. Mes héros s'appellent Henri, Claude, Patrick, Antoine, Alain, Jean-Paul et tous ces hommes qui répondent à l'appel de Georges.

Le rugby est l'école de la vie, l'apprentissage de la fraternité et l'art de vivre ensemble. Il faut pousser dans le même sens, partager l'ivresse des succès et les désillusions des défaites. La quête du Graal est le titre de champion de France de la catégorie. Par deux fois, l'équipe de mon village échoue en finale. La troisième est la bonne, au bout de deux matchs et un score de parité de 12 à 12. Impossible de départager Saint-André – les hommes des Corbières – de Coursan, la ville des vins de table. On ne peut en rester là. Le bouclier de Brennus est promis à celui qui ira le chercher auprès des officiels. Mon père monte dans les tribunes avec le capitaine, discute âprement avec le délégué du match, dont j'entends la voix dire : « Puisque tu le veux, le bouclier, prends-le. » Il le prend et le transmet au capitaine, qui leva le 12 juin 1982 le trophée sur la pelouse du stade Albert-Domec à Carcassonne. La foule était en liesse et la fête dura tout l'été.

À onze ans, j'entre à l'internat à Narbonne et intègre le club de rugby. Je suis nommé capitaine. Naturellement, la maturité aidant sans doute, j'assume le leadership de l'équipe en partageant quelques succès, mais aussi beaucoup d'échecs. Nous sommes un bon groupe mais sans génie particulier. L'essentiel est ailleurs. La formation commence. Nous jouons contre les meilleures équipes régionales en nous efforçant d'entraver la suprématie du voisin biterrois, pratiquant le même rugby que celui de l'équipe première. Il faut apprendre à se passer le ballon, à plaquer, mais aussi à se confronter à l'autre. Chaque partie permet de vivre un match dans le match avec son adversaire direct. Tous les coups sont permis, même l'intimidation physique et si nécessaire le bourre-pif. Le public, sur le bord du terrain, nous exhorte à leur « rentrer dedans ». Après le match, nous utilisons les douches communes. On panse nos plaies avant de se retrouver pour boire un verre au Club House. Quand les meilleurs d'entre nous défendent les couleurs de la sélection régionale, les rivalités s'effacent et laissent la place à la conquête des trophées nationaux.

On partage les entrailles du vestiaire, les incantations d'avant le match, puis pendant quatre-vingts minutes « le champ de bataille » en renforçant l'esprit d'équipe et la solidarité. Cette volonté de vivre sa passion, son rêve et de partager une aventure nourrit notre ambition de conquérir le monde.

À dix-neuf ans, je joue en junior. J'ai, depuis quelques semaines, éclairé ma vision avec des lentilles de contact. Le match contre Béziers me fait prendre conscience de mon potentiel. André Delpoux, le grand-père de Marc – mon futur complice de la troisième ligne –, appelle mon père et lui dit : « Gérard va bientôt jouer en équipe première, je l'ai vu dimanche et il sera bientôt prêt. » Six mois plus tard, j'intègre l'équipe.

Ayant fini mes études au lycée agricole de Carcassonne, je viens d'intégrer la première section sport-étude à Toulouse. Je rencontre M. Bru, dit Robert la Science, qui conçut et élabora, avec la complicité de Pierre Villepreux et de Jean-Claude Skrela, les fondamentaux du jeu toulousain. Il me façonne techniquement en m'ouvrant les yeux sur le rugby de mouvement et l'art d'assurer la continuité de l'action. Je comprends vite le message et suis sélectionné en équipe de France universitaire. J'ai la chance de côtoyer de grands joueurs comme Franck Mesnel ou Denis Charvet, qui sont déjà des vedettes en France et sur les terrains du monde. Nous vivons une tournée triomphale dans les îles Britanniques, avec à sa tête Olivier Saisset, un entraîneur de grande qualité, précis, direct et sans concession dans son mode de management. La fin de saison me permet de m'affirmer avec Narbonne et de gagner mes galons de titulaire. Il faut jouer des coudes, car la concurrence est farouche, surtout à l'entraînement. Je suis porté par la vague du succès et par cette volonté forgée dans les massifs des Corbières.

Nous avons une sacrée génération de joueurs, animée par une soif de conquête indéniable. Notre président, Bernard Pech de La Clause, associé à son complice Jean-Louis Despoux, a l'heureuse idée d'aller chercher à Béziers le « sorcier » Raoul Barrière, entré dans la légende chez nos voisins biterrois. Les résultats sont rapides et la méthode singulière. La cadence des entraînements, les préparatifs, tout est changé. Nous passons trois heures sur le stade deux fois par semaine, soit deux fois plus qu'à l'accoutumée. Nous pratiquons la sophrologie avant d'entrer sur le terrain. Le ciment du groupe est son unité et son homogénéité. Des leaders à tous les postes et deux meneurs hors norme, deux seigneurs de ce jeu, Francis Dejean pour les avants et Henri Sanz pour les trois-quarts. Ce dernier est capitaine, car il joue demi de mêlée et dirige la manœuvre. Déjà international en arrivant de son Graulhet natal, il affirme un caractère trempé, une vision du jeu aiguisée et un état d'esprit de guerrier. C'est un leader, avec une santé à toute épreuve et un mental hors du commun. Francis, lui, vient de l'Ariège, de Foix plus exactement. Il nous est recommandé par nos connexions ariégeoises. On ne connaît rien de lui. Après quelques entraînements, il intègre l'équipe première pour le premier match contre Mont-de-Marsan et revêt le maillot marqué du chiffre 4 dans le dos. Pendant quatorze saisons, personne ne le lui reprend.

Au bout de dix minutes de jeu, sur la troisième mêlée, il demande à Robert Nivelle, notre talonneur : « Quel est le code ici ? » Il lui répond : « Chez nous, il n'y a pas besoin de code. » Dix secondes plus tard, le talonneur d´en face est allongé. La carrière de Francis vient de démarrer. Il vit le rugby comme un affrontement perpétuel et dégage sur le terrain une telle confiance et une telle force au sens brut du terme qu'il rayonne, et amène une grande sérénité au groupe. Il ne connaît pas la peur, ce sentiment lui est étranger. Il forme avec Gilles Bourguignon une deuxième ligne redoutable et complémentaire.

Nous sommes assoiffés de victoires, de reconnaissance, et voulons nous construire un palmarès. Nous allons jusqu'en demi-finale en 1988 contre Agen et en 1989 contre Toulon ; nous avons perdu injustement la première à cause de quelques coups de sifflets inappropriés de l'arbitre, et plus nettement contre la grande équipe de Toulon l'année suivante. Nous remportons pendant trois années consécutives le challenge Yves-du-Manoir contre Biarritz, Grenoble et Bègles. Cette compétition représente, aux yeux des joueurs, la coupe de France de la catégorie. La coupe d'Europe n'existe pas encore, et ces titres ont une valeur symbolique forte. Nous sommes réputés pour jouer dur, en favorisant l'affrontement plutôt que l'évitement. Nous aimons la provocation et le défi.

Il vaut mieux être craint que plaint : telle est notre devise. L'arbitrage est alors moins sévère qu'aujourd'hui et il faut se faire respecter sur tous les terrains de France. Murray Mexted, célèbre All Black, arrivé quelques années auparavant pour jouer à Agen, a dit : « En France, tomber dans le camp de l'adversaire équivaut à mourir pour la patrie. » Les coups de poing dans les dents, les genoux dans les côtes font partie de l'inventaire des coups tordus mais tolérés : pas vu, pas pris. Lors d'un de mes premiers matchs à Béziers, je commets le sacrilège de tomber dans le camp opposé. La sanction est immédiate : Diego Minaro, « le Minotaure », me brise deux côtes. Après cinq minutes à reprendre mon souffle et mes esprits, je poursuis le match et termine la partie.

Les règles du jeu ne sont pas exactement celles du livret officiel du football-rugby, dont personne parmi les joueurs n'a ouvert la première page. Je fais exception à la règle en l'étudiant. Étant fils d'arbitre, je comprends vite l'intérêt de pouvoir jouer avec le règlement ; cela me donne souvent un avantage de quelques millièmes de secondes sur l'adversaire, précieux pour anticiper et voir le rebondissement du jeu. Le rugby, inventé par les Anglais, est, selon l'expression de Jean-Pierre Rives, « un sport de voyou joué par des gentlemen ». Le respect après le match reprend toujours ses droits. La guerre dure quatre-vingts minutes.

Dans les années quatre-vingt-dix, ce sport est encore régi par les règles du rugby amateur. Nous sommes très heureux, deux fois par semaine, de nous réunir pour préparer le match du dimanche. Le samedi, je me repose afin de me remplir d'énergie pour le lendemain. La semaine est vécue à un rythme soutenu, marquée par la saisonnalité, en particulier durant les vendanges. Je vis seul et un peu monastiquement, m'autorisant quelques virées nocturnes les soirs de grande victoire.

Entre vingt-deux et vingt-neuf ans, je mène conjointement une carrière de chef d'entreprise et de joueur de haut niveau. J'ai la chance d'être sélectionné en équipe de France A', avec celle de rugby à VII, et de devenir Barbarian français. Cela m'amène à voyager, à faire de nouvelles rencontres, et m'offre surtout une belle tranche de vie. Je suis conscient du privilège d'avoir gagné le respect de mes frères d'armes et de mes adversaires. L'essentiel n'est pas le résultat mais de vivre une aventure humaine, faite de combats, de partages, de victoires, d'échecs mais aussi de fêtes monumentales. Nous cultivons l'art de la célébration et nous aimons repousser nos limites et vivre dans l'excès afin de mieux nous connaître. Cela améliore l'esprit d'équipe, la force du collectif et renforce la confiance en soi.

Je ne soulèverai jamais le bouclier de Brennus. À la fin de mon parcours de rugbyman, je comprends que ce n'est qu'un rêve non réalisé. Ma carrière à Narbonne me donne le privilège de jouer deux saisons avec Didier Codorniou, le Maradona du rugby – le premier certainement qui, par instinct, joue du rugby quantique, le second étant Jonny Wilkinson, avec une approche moins intuitive et plus pensée. Il peut en une fraction de seconde changer une course, ouvrir un intervalle, créer une brèche là où d'autres ne voient que du danger. Il donne une nouvelle dimension à l'espace et au temps. Sa précision de course, son sens aigu de la passe et son souci permanent du décalage défient les lois de l'apesanteur. C'est Mozart en maillot de rugby. Il est né pour ce jeu et se hisse à son firmament.

J'ai aussi croisé le fer avec des monstres sacrés : Philippe Dintrans, meilleur avant au monde pendant quelques années, joueur physique, guerrier véritable, généreux dans l'effort, chef de meute ; Éric Champ, le rebelle, l'âme de Toulon, le gladiateur, l'homme de tous les défis. Et tous les autres... La liste est longue de ceux avec qui j'ai aimé m'étalonner.

Je me suis parfois réveillé en sursaut en rêvant à ce « morceau de bois », à ce trophée qui me tend les bras. Aujourd'hui, la page est tournée, ce livre est refermé. Je garde de cette période l'enthousiasme de la jeunesse, la force du groupe, l'amitié de mes copains, ainsi que les leçons apprises sur ces chemins de conquête. Un nouveau chapitre de ma vie s'ouvre quand je décide de finir ma carrière au Stade français, à Paris.

4

La reconversion

Mon temps de jeu à Narbonne est compté. Il faut faire place nette à la génération montante, celle des Labit, Belzons, représentant l'avenir du club. La décision est difficile à prendre. Au bout de dix-sept ans passés au club, j'annonce à mon capitaine Henri Sanz, un soir de défaite en quart de finale contre Castres, que nos routes vont se séparer. Mes affaires prospèrent et mon corps commence à émettre de sérieux signaux de fatigue. J'ouvre un bureau à Paris et propose mes services au Stade français afin de l'aider à regagner l'élite du rugby national. Avec mon ami Jean-Baptiste Lafond, l'un des plus doués de notre génération, et quelques joueurs réputés, nous contribuons à faire remonter le club en première division. Mission accomplie, après deux opérations aux sinus et un feu rouge délivré par le corps médical pour la suite de ma carrière. La boucle est bouclée.

Au-delà de cette belle aventure naissante, je fais la connaissance de Max Guazzini, un grand président, intelligent, visionnaire et doté d'un sens inné de la communication et des relations humaines. Non seulement il replace l'équipe au plus haut niveau, mais surtout, par sa vision décalée du rugby, il propulse ce sport dans une nouvelle dimension. Casser les codes, s'affranchir des idées reçues, briser les tabous, cultiver le sens esthétique, la beauté, la virilité de l'affrontement, mais aussi créer un groupe solidaire et en avance sur son temps : telles sont les clefs du succès de ce club, qui par contagion gagne tout le rugby français, devenant un sport spectacle. Les femmes et les enfants sont enfin les bienvenus au stade, la mise en scène démarre une heure avant le coup d'envoi et finit une heure plus tard. Bienvenue dans l'univers de Max ! Son génie est de savoir véhiculer les valeurs profondes du rugby, non plus seulement auprès des initiés, mais aussi auprès des amoureux de sport. Blessé et indisponible six mois durant ma dernière saison, je prends le temps d´analyser cette performance, qui ne se passe plus « sur scène » mais se prépare en coulisses, ou plus exactement dans la tête.

Au cours d'un dîner, Max nous fait part de son idée de réaliser un disque en reprenant les chansons de troisième mi-temps et en y ajoutant quelques créations dont il a le secret. Nous apprenons qu'il souhaite que nous soyons les interprètes. Après deux mois de répétition, notre groupe Les Droper's fait le tour des télévisions et notre tube *Ce soir on vous met le feu* devient disque d'or et est repris dans les stades et les discothèques ! Quelle belle aventure mêlant découverte, professionnalisme et esprit d'équipe !

Je profite par ailleurs de mon année parisienne pour établir des contacts et rencontrer quelques acheteurs de centrales d'achats. Jean-Pierre Andlauer, acheteur vin du groupe Monoprix, goûte mes vins et m'explique que le corbières va être goûté par le jury Gault & Millau. J'attends impatiemment la réponse. Bonne nouvelle : le vin est sélectionné dans la gamme permanente. Henri Gault, l'un des plus éminents critiques gastronomiques, a fondé avec son compère Christian Millau le célèbre magazine. Il descend me rendre visite au printemps 1995 en compagnie de M. Andlauer. Je prépare soigneusement douze vins à déguster. Il est 10 heures du matin dans le chai du domaine de Villemajou. La dégustation commence, les vins défilent. Au bout d'une heure et demie de prise de notes, le verdict tombe. « J'ai retenu onze vins », dit Henri Gault. Je suis au bord de la syncope, moi, le petit vigneron des Corbières, commençant juste à élargir sa gamme de vins du Sud ! L'acheteur a beau lui dire que cela fait trop, il n'en démord pas et renchérit : « Ces vins représentent l'avenir, ils sont frais, accessibles et sentent bon le terroir, il nous les faut. » Pendant quelques années, cette enseigne de distribution restera mon premier client au monde et contribuera à légitimer mon savoir-faire.

Johannesburg, 24 juin 1995, 3 heures du matin. Me voilà avec mes amis Pierre et Jean-Pierre, en train de célébrer cette journée mémorable dans un night-club, en buvant quelques whisky-coca. Nous avons assisté, quelques heures plus tôt, à un après-midi historique : l'équipe de rugby d'Afrique du Sud a battu la Nouvelle-Zélande en finale de la Coupe du monde, et la « nation arc-en-ciel » s'est réconciliée. Les Noirs, les Blancs dansent dans la rue, chantent à l'unisson, et célèbrent ce jour de grâce rendu possible par Madiba, Nelson Mandela. Au bout de si longues années d'isolement et de souffrance, il a su pardonner et ouvrir son cœur, faisant taire la haine et créant une nouvelle ère pour ce pays divisé. Le film *Invictus*, en dépit de quelques scènes caricaturales pour des experts en rugby, nous fait revivre l'essentiel du message partagé par les Springboks (équipe nationale de rugby d'Afrique du Sud) avec le peuple sud-africain.

Les valeurs du rugby sont faites de partage, de solidarité, de fraternité et d'une grande dose d'humilité. La mêlée symbolise au mieux la force qui se dégage d'une équipe. Un amas de chair et d'os de huit gaillards liés, soudés ensemble afin de gagner le ballon permettant à son équipe d'avancer vers la ligne de but adverse. Cet effort, cette complicité, cette force collective, invisible pour le spectateur, est un hymne à l'esprit d'équipe, à la puissance de l'effort collectif, à la volonté de sacrifice des uns pour les autres. L'individu est sublimé par le groupe. La peur donne du courage et le pas en avant révèle les héros qui, centimètre après centimètre, vont créer le décalage pour l'ailier au bout de la ligne d'attaque.

Ce jour-là, nous ressentons une atmosphère très spéciale dans le stade. Nelson Mandela, le président, salue les deux équipes en étant revêtu du maillot sud-africain. Les All Blacks restent médusés, admirant inconsciemment le charisme de cet homme. La foule est en liesse. L'histoire retiendra que ce fut un acte fondateur pour la nation. Certains Néo-Zélandais, pas au meilleur de leur forme, auront l'élégance de ne pas protester face à la dimension historique de cette journée.

Je partage cette nuit-là mes sentiments avec François Sangalli, un ancien joueur de Narbonne, ainsi que ma vision pour l'avenir de ce club. À 4 heures du matin, le nouveau président du club, Jean-Louis Barsalou, entre dans cette discothèque du bout du monde. François lui fait part de mes idées pour l'avenir du club. Je ne peux plus faire marche arrière. Le destin est scellé.

Ainsi, un mois plus tard, à trente et un ans, je me retrouve impliqué dans la gouvernance du club, dont je deviens président l'année suivante. Trois années passées à redonner un élan afin de rivaliser avec les meilleurs. Cette expérience enrichissante me permettra de tirer des leçons de vie essentielles pour mon avenir. Je comprends vite, notamment, que l'on ne peut pas gérer l'argent des autres, celui d'une association, comme on le fait quand il s'agit de son entreprise. Il faut une dimension politique, un sens de la diplomatie incompatible avec l'impétuosité de la jeunesse. Les présidents ne sont que de passage, il faut que leur mandat soit utile. Au bout de trois années de labeur, je laisse la place à mes successeurs, avec le sentiment d'avoir réussi le passage du club dans l'ère professionnelle. Mon avenir est ailleurs.

5

La transition

Vivre une année à Paris renforce ma conviction que mon avenir est dans le Sud. Je ne peux pas durablement m'adapter à la vie dans une grande cité, malgré les charmes et les attributs de la plus belle ville du monde. Mes racines paysannes, le besoin de me ressourcer, le goût du silence me rappellent à l'ordre. Paris sera un point d'appui stratégique pour le développement de mes activités. Des séjours temporaires, mais réguliers, suffisent à mon épanouissement et à celui de mon entreprise. Je profite de mes relations rugbystiques pour nouer des contacts. Cela s'appelle la promotion sociale, qui était la règle pendant la période du rugby amateur.

Un soir de troisième mi-temps un peu arrosé, avec mes amis Claude Spanghero, Dominique Erbani, Daniel Dubroca, Jean-Patrick Lescarboura, Philippe Saint-André, Jean-Baptiste Lafond, Jean-Luc Joinel, Philippe Sella, Laurent Cabannes, les frères Camberabero, Stéphane Graou, Pierre Rougon, José Mateo et Jacques Fouroux, nous décidons de monter le club des anciens internationaux de rugby reconvertis dans l'agroalimentaire. Notre idée est de vendre clefs en main des opérations promotionnelles aux chaînes de distribution. Nous proposons des produits de terroir, le foie gras du Gers, le cassoulet de Castelnaudary, les ravioles de Romans, les fromages des Pyrénées, des fruits de saison, ainsi qu'une large gamme de vins du sud de la France, du champagne et du café, soit un florilège du savoir-faire culinaire et viticole français. La société Casino nous fait confiance, et nous partons à la rencontre des clients et des équipes du distributeur. Nous sommes invités à Besançon pour une « grand-messe ». Patrick Sébastien, l'animateur le plus populaire de France, nous rejoint et partage avec nous les valeurs du rugby et de la bonne chère. Nous jouons un match contre l'équipe locale, communiant avec un public venu nombreux. Le soir, invités au palais des congrès de la ville, nous montons sur scène devant six mille personnes venues nous accueillir et écouter l'artiste. La puissance de communication du groupe, alliée à la réputation de notre club, fait des merveilles. Nos produits se vendent très bien et la notoriété des uns et des autres fait la différence.

Le lendemain matin, dans le train du retour, nous baptisons notre équipe « les Gastronomes du rugby ». Pendant quatre années, tels des globe-trotters, nous faisons le tour de France des distributeurs en montant des opérations de grande envergure. Carrefour, Leclerc, Système U, Auchan et Intermarché sont séduits par notre concept et notre identité. Nous vivons également des expériences croustillantes, et les soirées légendaires animées par Jacques Fouroux sont autant d'occasions de refaire le monde. Je n'ai jamais rencontré de personnage aussi charismatique et envoûtant que Jacques, le prince de Gascogne. Il avait toujours un combat à mener, une cause à défendre, le génie et la volonté d'innover chevillés au corps, sans oublier sa passion pour les relations humaines. Mes affaires profitent de cet élan gastronomique et se développent, me permettant de lier des contacts au plus haut niveau avec la distribution française. Après un match de propagande que nous avons joué dans la région lyonnaise contre nos distributeurs, j'entends sous la douche un acheteur dire : « C'est la première fois que l'on voit le cul de nos fournisseurs. » Tout un symbole de proximité.

Concernant mes activités viticoles, la question essentielle est : quelle stratégie, quels objectifs, quels moyens ? Il faut un peu de temps pour répondre et identifier les priorités. Je choisis d'avancer en tâtonnant, en commettant des erreurs, mais en retenant les leçons. Mes seules certitudes sont, tout d'abord, de n'accepter aucun compromis avec la qualité des vins, et ensuite de comprendre que le terrain de jeu est mondial et non pas européen ou français. Il faut donc voyager, observer et apprendre comment les pays dits « émergents » appréhendent les marchés du vin. Je commence parallèlement une politique d'acquisition de domaines. N'ayant ni richesse personnelle ni actionnaire dans ma société, j'apprends rapidement à créer des relations de confiance avec les banques.

Le développement est assez rapide, avec les rachats successifs en 1995 du domaine de Cigalus, en 1997 du château Laville-Bertrou et en 2002 du château L'Hospitalet. Ce dernier achat nécessite l'appui de Patrick Colomb, qui deviendra plus tard mon conseiller financier. Notre première rencontre se passe autour d'un terrain de rugby. Il a dû déceler en moi un petit grain de folie, me rendant sympathique à ses yeux. Il conseille déjà des sociétés internationales comme Essilor et tous les grands domaines de Bourgogne, mais répond favorablement à mon appel. Il me lance, laconique : « Gérard, là, il y a du boulot ! » Il faut organiser juridiquement et fiscalement mes activités, afin de rassurer les banquiers et de permettre au groupe de passer au niveau supérieur.

Quand Jacques Ribourel, propriétaire de L'Hospitalet, m'appelle à la fin de l'année 2001 pour me rencontrer, je suis loin de me douter qu'il va me proposer de me céder son château, car je n'ai pas l'argent demandé et lui, ces dix dernières années, en a perdu beaucoup en lançant son concept avant-gardiste de tourisme vigneron, baptisé ensuite « œnotourisme ». Il a vu juste, mais trop tôt, et commence sérieusement à s'essouffler. L'entregent de Patrick est précieux pour négocier avec le vendeur tout en convainquant les établissements financiers de plonger dans cette aventure.

L'idée de sauter le pas me donne le vertige. Signer un chèque d'un montant supérieur au chiffre d'affaires de la société ! Mon conseiller réussit, sur sa caution morale, à convaincre la Banque populaire de Bourgogne et la Société générale ; le Crédit agricole me confirme à son tour son engagement. Le tour de table est bouclé. Il ne me reste plus qu'à me lancer.

Il est coutume de dire que le succès est toujours proportionnel au risque pris. Je m'apprête à confirmer cet adage. Je vous passe les insomnies et les interrogations que cela me cause. Mais ma décision est prise. Elle me donne l'occasion de mieux me connaître, de repousser encore une fois mes limites et de vivre une aventure passionnante. Nous avons maintenant un navire amiral, dédié au bon vin et à la bonne cuisine. Un restaurant, un hôtel, des boutiques artisanales et mille hectares de garrigue célèbrent l'art de vivre méditerranéen.

Jacques Ribourel a rénové ce domaine fondé en 1561, lui donnant une harmonie, une précision géométrique. Il restait à donner une âme à ce lieu. C'est le défi que nous nous lançons. L'Hospitalet devient naturellement la base avancée de nos activités. Le massif de la Clape, situé dans le parc naturel de la Narbonnaise, nous accueille dans un environnement intact où les espèces protégées, la faune et la flore nous poussent vers l'excellence. Être entouré d'orchidées sauvages uniques au monde sur un terroir exceptionnel de calcaire fissuré est une ode à la beauté. La qualité des vins va rapidement dépasser toutes mes espérances.

Comme par nécessité, nos ventes augmentent, et le groupe, en quatre ans, change de dimension en doublant son chiffre d'affaires. Pari gagné. Les banques sont rassurées. Mon sommeil s'apaise. Je poursuis les acquisitions afin de découvrir de nouveaux terroirs, de nouvelles typicités, et de continuer à révéler le potentiel et la diversité de notre région. En 2006, je rachète le domaine de l'Aigle, près de Limoux, propice à la culture des grands chardonnays et du pinot noir. L'altitude est un facteur très favorable à la qualité de ces cépages de tradition bourguignonne. En 2009, nous augmentons notre potentiel qualitatif dans les Corbières sur le terroir de Boutenac en rachetant le château Aigues-Vives à la famille Dourthe, originaire de Bordeaux. En 2011, j'ai un coup de cœur dans les terrasses du Larzac, à proximité de Montpellier, pour le château La Sauvageonne, un territoire où la nature invite à l'humilité et au respect de la biodiversité. L'ancien propriétaire, M. Brown, un Anglais au goût raffiné, a entrepris un admirable travail de rénovation et de replantation. Une villa surplombant le vignoble au sommet de la falaise s'impose comme une sentinelle. Il ne me reste plus qu'à rénover le chai et à partager avec nos distributeurs ces vins de paysage[1].

En 2012, monseigneur de La Soujeole, trop occupé par sa mission ecclésiastique, me demande de reprendre le domaine éponyme. L'appellation Malepère ajoute une nouvelle corde à notre arc. Ce terroir est le royaume du cabernet franc dans le sud de la France. J'adore la typicité, la structure et la finesse de ce cépage. Associé à du malbec, il ouvre de nouvelles perspectives.

Nous prenons aussi en main les destinées du château des Karantes, à Narbonne-Plage, avec l'assentiment de la famille Knysz, d'origine américaine et celui de Tarailhan sur la commune voisine de Fleury d'Aude. Notre engagement sur le territoire de la Clape prend ainsi une nouvelle dimension.

Nous passons en quinze ans de soixante hectares à plus de cinq cent cinquante hectares.

Être propriétaire de vignobles, c'est d'abord l'assurance d'aller au bout de ses convictions en étant maître de son destin. C'est le passage obligé pour produire des vins d'excellence. Tel est mon credo.

1. Formule de Pierre Casamayor, journaliste et écrivain, pour désigner la beauté des territoires.

La vigne me parle, je la comprends, je la ressens. Il se crée entre elle et moi un lien viscéral qui va au-delà de la sublimation des cinq sens. J'ai eu la chance, étant né dans un environnement favorable à la pratique du rugby et à la culture de la vigne, de ne pas avoir eu à choisir mais à gérer les priorités en fonction des saisons. Aujourd'hui, ma seconde passion devient la première. On peut la pratiquer plus longtemps en prenant des risques différents.

Ces années d'acquisitions soutenues renforcent la diversité de notre offre. Je commence à mieux appréhender les marchés au fil de mes nombreux voyages, et à comprendre la diversité des réseaux de distribution. Les portes mettent toujours du temps à s'ouvrir. C'est un parcours du combattant. Mon passé de rugbyman, ma générosité dans l'effort, le souci du travail bien fait et la providence des bonnes rencontres contribuent lentement à tisser la toile. Nous recrutons en même temps des collaborateurs correspondant aux valeurs de notre équipe – généreux, exigeants, courageux et dotés de qualités de leader. Ces valeurs sont le socle de nos convictions.

Ces dix dernières années, nous avons tissé des relations de partenariat dans cent pays, afin de promouvoir les valeurs du sud de la France.

6

L'art de vivre du Sud

Il nous faut renforcer notre identité, notre référentiel commun. Ce fut l'objet d'un séminaire de quelques jours avec le comité de direction et en présence de notre vice-président Peter Darbyshire, un Anglais ayant fait le tour du monde des marques de vins et de spiritueux. Il nous aide à appréhender, avec son ami champenois James Guillepain, les besoins du consommateur et à mettre en œuvre une nouvelle stratégie de conquête.

Certaines sociétés françaises oublient que 99 % des clients sont des consommateurs et 1 % seulement des experts. Il faut, sans renier ses origines ni ses convictions, comprendre leurs attentes. La tâche est compliquée. Nous définissons notre référentiel commun. Nos gammes sont segmentées et hiérarchisées par catégories – les vins de cépage, les vins de terroir, les vins effervescents, les vins doux naturels – et par thématique – les vins bio, les vins cultivés en biodynamie et les vins sans sulfites. Ces thèmes font partie des fondamentaux de notre groupe. Nous nous soucions de l'environnement et nous militons pour laisser un vignoble en excellent état aux générations futures en prenant l'engagement de cultiver les domaines en biodynamie. Trois cent cinquante hectares sont déjà convertis, nous positionnant parmi les leaders mondiaux de cette méthode culturale. Par ailleurs, notre marque Autrement est numéro un en France sur le marché des vins biologiques.

L'innovation fait partie de notre « ADN ». Nous créons la catégorie des vins sans sulfites en lançant la marque Naturae, principalement en France et en Amérique du Nord. Ce secteur est encore une niche, mais il devrait, selon nos prévisions, connaître le même développement que le marché des vins biologiques.

Nous allons, avec le soutien de nos confrères régionaux, promouvoir dans le monde le concept « sud de la France ».

Mon ami Jacques Michaud, professeur de droit à l'université de Montpellier, a toujours été sensible à l'évolution de notre région. Sa vision historique du lien entre le Languedoc et le Roussillon passe par la réhabilitation de la Septimanie, qui fut une province de la France au VIIe siècle et dont le territoire correspondait à la région actuelle. L'idée était originale, mais l'empressement de Georges Frêche, président de la région, à vendre l'idée aux Catalans se révéla un échec. Frêche, homme à la culture encyclopédique et au verbe fort, se mit alors en quête d'un nouveau concept. Je fis partie du cercle restreint de réflexion. L'idée du sud de la France germa, recevant l'approbation de tous. Un baptême sur le parvis de la mairie de Narbonne, ancien palais des archevêques, et le tour était joué. Frêche apostropha la foule : « Gens du Sud, levez-vous ! Ceci est votre territoire, votre identité ! » Six cents personnes debout en ce début d'été applaudirent. Nous avons pu ensuite pratiquer une politique de communication ambitieuse, avec l'avantage d'être géographiquement localisables par tous les habitants de la planète. Nous avons réussi à trouver notre place entre, au sud-ouest, Bordeaux et, au sud-est, la Provence. Nous sommes les dépositaires du Sud. Ce territoire est notre patrimoine, notre fierté et nos racines. La mission consiste maintenant à passer du savoir-faire au faire savoir. Un nouveau combat à mener, une nouvelle ambition pour les dix prochaines années.

Notre région possède également un bien précieux : son étendue, son espace et sa diversité. Il faut préserver ces ressources naturelles tout en permettant une urbanisation modérée et intelligente afin d'accompagner les flux migratoires prévus pour les prochaines décennies. Le Sud est désormais une destination de plus en plus prisée.

Notre credo « l'art de vivre les vins du Sud » prend ici tout son sens.

C'est un art qui repose sur les valeurs de la Méditerranée, cette mer accueillante, chaleureuse, nous reliant à nos voisins italiens et espagnols et, plus au sud, au Maghreb et au Proche-Orient. Elle porte les origines de notre culture religieuse monothéiste dont Abraham est le père fondateur et est le lien entre judaïsme, christianisme et islam, berceau des valeurs humanistes transcendées par les Grecs et les Romains. C'est un bel héritage, favorisant l'ouverture des cœurs et la générosité de l'accueil et préparant un avenir meilleur pour les générations futures.

Nous avons créé une confrérie des chevaliers de l'art de vivre, afin de contribuer à véhiculer notre patrimoine, notre identité et nos coutumes. Pendant une semaine, au début de chaque printemps, nous recevons des visiteurs venus des quatre coins de la planète pour célébrer et partager notre savoir-faire et notre savoir-vivre.

Cet art de vivre repose aussi sur une alimentation découlant de la culture de la vigne, de l'olivier, du miel, des fruits et légumes de saison. Les médecins américains ont appelé cela « the French Mediterranean paradox ». Comment vivre mieux, plus longtemps, en restant bien portant ? La santé, le bonheur sont des éléments essentiels à notre raison d'être. Cela n'empêche pas l'ambition, la performance, ni l'exigence. Nous nous engageons à ce que nos bouteilles portent en elles dans leurs pérégrinations ce message d'amour, de fraternité et de tolérance, exprimant la qualité et la diversité de nos terroirs.

Les chefs de cuisine du Bassin méditerranéen contribuent fortement à développer dans le monde cet élan, cette générosité dans l'assiette et au-delà.

Le sens originel des mots prend ici toute sa dimension. L'art de vivre, c'est la vie élevée au niveau de l'art, qui est la forme la plus aboutie du comportement humain, le prolongement de la main de Dieu en chacun de nous.

Soyons réalistes et utopistes : demain s'ouvrira une ère nouvelle, où l'éveil des consciences, l'accès à l'information et à la formation seront les germes favorables à un avenir où nous pourrons vivre heureux, en paix, et profiter ensemble des richesses de la création.

L'art de vivre, c'est également la musique. Comment vivre sans elle ? Impossible, puisque le silence laisse la place à la mélodie harmonieuse de la nature, au chant des oiseaux, au souffle du vent, au cri des animaux, et au bruissement des étoiles au petit matin – ce bruit continu appelé le souffle de Dieu, prolongement sonore lointain du big-bang survenu il y a quelques milliards d'années.

Nous avons aussi installé une salle d'exposition au château L'Hospitalet afin de favoriser l'éclosion des artistes locaux et de proposer, une fois par an, un événement d'envergure nationale ou internationale. Les bronzes de Rodin, les sculptures de Jean-Pierre Rives ou l'exposition de Yann Arthus-Bertrand *La Terre vue du ciel* attirent la foule et contribuent au rayonnement de notre domaine.

Nous puisons notre inspiration et notre énergie à la source intarissable de cet art de vivre et nous créons en harmonie avec la poésie et la douceur de vivre de notre région.

Démarrer un événement musical devenait une évidence. Mon goût pour le jazz a fait le reste.

7

Jazz à L'Hospitalet

Notre festival de jazz a vu le jour en 2004. Les débuts furent difficiles, et il a fallu attendre quatre ans pour que ces soirées estivales commencent à rencontrer un succès d'estime.

Préparé d'un bout à l'autre de l'année, ce festival est un challenge pour toutes mes équipes. Grâce à une programmation de haut niveau, toujours très éclectique, nous avons réussi à en faire une institution dans notre région. Jouer dans la cour du château et au milieu des vignes revêt pour les artistes une signification très particulière. Nous avons reçu des témoignages émouvants de Yuri Buenaventura, Maceo Parker, Earth Wind and Fire, Kid Creole, Kool and the Gang, Liz McComb, the Golden Gate Quartet, Michel Jonasz...

Le jazz est à la musique ce que le terroir est au vin. Il vient de l'âme, du plus profond de l'être, et de ses racines. Il existe sous différentes formes, comme le vin est issu de différentes origines et de différents cépages. Chaque millésime, bien qu'issu de la même terre, est différent des autres, subtilement ou énormément – tout comme chaque impro, chaque musicien donne à un morceau une coloration et une tonalité entièrement nouvelles. J'adore cette énergie positive, qui me ressource et m'élève. Il existe tant de variétés de jazz, que chacun y trouve son compte.

Chaque année, toutes ces sonorités apportent une ambiance particulière et une émotion partagée. Après le spectacle, la cave à jazz prend le relais avec des groupes régionaux et prolonge le spectacle jusqu'au petit matin. Pour commencer la soirée dans les meilleures conditions, notre chef nous concocte tous les soirs de magnifiques buffets mettant en valeur la cuisine méditerranéenne ainsi que nos meilleurs crus.

5 juillet 2004

Dominique Rieux et son groupe s'installent sur l'estrade posée au milieu de la cour. Nous sommes trente et la première soirée commence. Je ne me souviens plus très bien de la qualité du spectacle. Nous avions froid, et il n'y avait que ma famille et quelques amis. À la fin du concert, je dis à ma femme : « L'an prochain, on fera mieux. »

Les débuts sont toujours difficiles. Il faut maintenir la flamme allumée afin que le rêve devienne réalité. Le succès n'est souvent que la conséquence de la persévérance.

Les trois premières années se sont ressemblé, mais petit à petit, nous avons assisté à l'avènement d'une énergie naissante et à une fidélisation du public.

Août 2007

Dans la cour de L'Hospitalet, les mille cinq cents sièges sont disposés en rang, laissant tout juste la possibilité de circuler. La plupart des spectateurs ont dîné dans le parc qui s'étend derrière la piscine.

Ce soir-là, sur la scène dressée contre la façade de l'hôtel, Yuri Buenaventura chante *Ne me quitte pas*, revisité, avec son accent latino et sa voix claire. À la fin de la chanson, il interrompt quelques minutes le concert et se met à communiquer au public ce qu'il ressent ici, là, maintenant. En quelques mots, le voilà qui raconte, du plus profond de son âme de Colombien ayant étudié à la Sorbonne et en très bon français, un peu de son histoire personnelle en écho à sa présence parmi nous. Il parle aussi des vibrations du lieu, de la présence millénaire de la vigne, de ce que signifie pour lui ce partage de musique, de mets, de vin, de nuit étoilée et d'odeurs de lavande. L'émotion me saisit. J'ai une boule dans la gorge, les larmes ne sont pas loin : non seulement il s'exprime merveilleusement, mais en plus il a parfaitement su saisir l'esprit de L'Hospitalet et l'exprimer avec une grande justesse. Je ne suis pas le seul à éprouver ce tourbillon : autour de moi, tout le public s'est tu, dans une sorte de recueillement.

6 août 2010

Maceo Parker monte sur scène. La cour est comble. L'un des plus célèbres saxophonistes de jazz au monde, compagnon de route de James Brown, est là, ce soir, avec son groupe. La soirée est électrique et l'énergie que dégage le musicien est envoûtante. Il communie avec le public et joue des morceaux d'anthologie, dont un solo de plus de vingt minutes, à la fin duquel il se tourne vers sa choriste et lève les bras au ciel pour remercier son mentor, tout là-haut. Il joue deux heures quarante-cinq minutes et nous fait chavirer de bonheur.

8 août 2010

Michel Legrand, un des plus grands musiciens au monde, inaugure son nouveau spectacle avec Nathalie Dessay. Une première mondiale. J'arrive sur place à 19 heures, et, pour une raison que j'ignore encore, je me sens nerveux. Dix minutes plus tard, mon responsable vient m'expliquer que Michel Legrand ne veut pas que la première partie du spectacle ait lieu. Il n'aurait apparemment pas été informé par son agent et ne souhaite pas commencer à 23 heures. Je descends le rencontrer, ainsi que sa charmante épouse, et j'ai l'intuition que la tension est ailleurs. Tout le monde est sous pression, car Nathalie Dessay vient de débarquer du Japon et la répétition de l'après-midi ne s'est pas très bien passée. Mon ami Jeff Senegas finira par assurer la première partie, et le spectacle des deux stars françaises se révélera exceptionnel.

Août 2011

China Moses charme l'assistance en première partie de spectacle. Sa voix, son rythme et ses déhanchés nous mettent dans l'ambiance. Puis le groupe Incognito monte sur scène. Ils arrivent tout droit de la banlieue londonienne. Leur sonorité et leur univers musical nous transportent. Au bout de vingt minutes, la pluie s'invite à la soirée. Nous sommes obligés, pour des raisons de sécurité des artistes, d'arrêter le spectacle. J'annonce au public qu'il faut patienter. La plupart des spectateurs quittent le lieu. Trente minutes plus tard, nous prenons la décision avec les musiciens de poursuivre le concert en acoustique dans le restaurant. Et là commence l'un des plus grands moments de ces dix dernières années. C'est le bœuf ou le *jam,* comme on dit en anglais. Les quatre cents personnes restées sur place sont en liesse et se mélangent aux musiciens. Elles se tiennent debout sur les chaises, ou assises sur le bar. L'atmosphère est fantastique, du pur bonheur, un vrai moment de plénitude.

Août 2013

Le prince de *La Boîte de jazz* est là avec ses musiciens. Michel Jonasz nous rend visite pour la deuxième fois et reprend avec brio tous ses tubes pendant plus de deux heures. Le public aime son répertoire et son contact chaleureux. Il est accompagné par l'orchestre créé par René Coll, un enfant du pays, originaire de Trèbes, près de Carcassonne.

1er août 2014, 20 h 15

Dans le parc, les mille deux cents convives viennent de s'installer pour dîner. Le temps est menaçant. Boy George est au programme ; il est inquiet pour la météo. Nous faisons installer une toile étanche au-dessus de la scène afin d'assurer le déroulement du spectacle. Il se met à pleuvoir. Je prends le micro et raconte aux festivaliers que la pluie est utile pour les vignes, qu'il s'agit des gouttes de Dieu. Nous équipons les gens de ponchos en plastique transparent : et voilà comment on partage un dîner arrosé. Heureusement, au bout de vingt minutes, l'orage cesse. Une heure plus tard, tout le monde peut assister à une performance formidable. Boy George évoque son passé, ses excès de naguère et sa nouvelle vie faite d'amour et de spiritualité. Il reprend son tube *Hare Krishna*, dédié à son expérience hindouiste – et par la grâce des cieux, à la dernière minute de cette chanson, il pleut des larmes de joie. Les mains ouvertes, l'artiste et ses musiciens remercient la Providence. Un ange passe.

2 août 2014, 19 h 45

Mon ami Yuri Buenaventura, roi de la salsa et parrain du festival, s'approche de moi. Il me demande comment le festival s'est déroulé jusque-là. C'est le dernier concert et il a besoin de prendre le pouls de l'organisation afin de stimuler ses musiciens. Je lui explique qu'au-delà de quelques petits soucis nous vivons l'un des plus grands millésimes. Je ne lui fais pas part des prévisions météorologiques, car elles ne sont pas bonnes, mais j'ai l'intime conviction que nous allons passer entre les gouttes. Nous avons prévu une surprise avec, à 20 h 23 précises, un show aérien de la patrouille Breitling.

Il est 20 h 10. Je me dirige vers le régisseur, qui m'annonce que les nuages sont trop nombreux et qu'il doit annuler le passage des avions. Je lui demande alors de me passer à la radio mon ami le commandant Jacques Bothelin, un aventurier et un champion de la voltige. Je lui dis : « Jacques, il faut venir ! Décolle de Béziers, et sur place, tu verras comment ça évolue. » Il me répond : « Gérard, on arrive dans dix minutes. »

Il est maintenant 20 h 20. Dans le parc, il pleut légèrement. Comme la veille, les convives découvrent une expérience nouvelle : le dîner sous la pluie, presque aussi glamour que le *Singing in the Rain* de Gene Kelly. Je prends le micro et j'annonce : « J'ai enfin une bonne nouvelle et une surprise pour vous : la patrouille Breitling nous fait le plaisir de nous rendre visite. » Trois minutes plus tard, les avions passent, provoquant les applaudissements de la foule. Comme par magie, la pluie s'arrête et le ciel s'ouvre. Le show aérien commence et pendant vingt minutes, je ressens et partage la ferveur des personnes présentes. Yuri Buenaventura est rassuré : il sait maintenant qu'il va pouvoir continuer à faire vibrer le public, car après tous ces événements, l'émotion est à fleur de peau. Il se transcende, communie avec nous tous pendant deux heures, aux rythmes de cette musique latina qui transforme la cour du château en piste de danse.

Des moments comme ceux-là nous rappellent que la vie vaut d'être vécue et que la musique développe le sentiment d'universalité du bien et la fraternité des peuples. Tous les artistes, même les stars, sont avant tout des êtres humains qui apportent leur voix, leur chaleur et leur univers particulier.

Découvrir des territoires nouveaux, repousser ses limites, est pour nous un credo et un défi permanent. La réussite de ce festival, au cours duquel nous recevons six mille personnes en quatre jours, justifie tous nos efforts quotidiens, valorise les attributs de notre savoir-faire, délivre un message authentique et original. Il nous permet aussi de partager cette expérience unique avec tous nos ambassadeurs.

C'est l'art de vivre les vins du Sud sous toutes ses formes.

8

L'aventure humaine

L'aventure humaine de notre groupe repose sur la rencontre de femmes et d'hommes passionnés, altruistes, courageux et partageant les valeurs de l'art de vivre méditerranéen.

Les années passées sur un terrain de rugby m'ont apporté une vision particulière du management, où la performance individuelle doit être au service du collectif, et le leadership de chacun doit être une marque de respect pour tous, ainsi qu'une exigence personnelle consistant à respecter les consignes définies ensemble et contraintes par les règles du jeu des marchés.

La dimension affective a également une grande importance. Dans une société familiale, et en particulier dans les métiers du vin, il n'y a pas que des grandes années. Nos succès et nos performances sont passés au filtre de la réputation du millésime et des quantités produites. Il ne faut donc pas uniquement rechercher le succès immédiat mais s'inscrire dans une démarche à long terme validée par des plans quinquennaux permettant à chacun de maintenir un niveau suffisant de confiance et d'ambition. Notre vie est rythmée par les saisons, les changements du climat, la générosité comme les caprices de la nature. Il est essentiel de s'entourer de personnes en résonance avec cette philosophie, ouvertes aux autres et possédant le sens du partage. Travailler, chez nous, c'est avoir l'opportunité de donner du sens à son action.

Il est essentiel de développer la formation, les référentiels communs, et de prendre conscience de la précision du geste, en y donnant une dimension symbolique.

Nous célébrons chaque année, au mois de décembre, la fête de la taille, en lançant la nouvelle campagne. La saison commence avec la taille de la vigne. Répéter cinq mille fois par jour le même geste, qui conditionnera quelques mois plus tard la qualité des raisins, est une grande responsabilité. Affronter le froid, le vent huit heures par jour pendant quatre mois exige une endurance, une résistance, une volonté, mais aussi une générosité, une précision et un amour du travail bien fait.

Une plante, et en particulier une vieille vigne, mérite tout le respect, toute la considération due à son âge et à la qualité de ses fruits. Il faut l'aimer, en prendre soin. Ce soin constitue la base du processus que j'ai enclenché il y a quelques années, au cœur d'une démarche holistique pour nos collaborateurs et, par extension, pour nos vignes.

En 2002, l'arrivée de Richard Planas marque un tournant décisif dans cette volonté de développer une agriculture de précision. En tant que directeur des domaines, il gère l'ensemble des équipes et instaure un processus de formation, ainsi qu'une charte identitaire. Les débuts sont difficiles car modifier les habitudes, fédérer les énergies, pratiquer l'ouverture des esprits nécessite diplomatie et force de conviction.

Au bout d'une année de mise en place, les hommes de base ont compris leur intérêt à collaborer et à échanger. La crise des ego est en voie d'extinction. Nous réussissons ensuite à établir une gestion millimétrée, parcellaire, de nos différents domaines.

Une fois cette première étape accomplie, Cédric Lecareux enclenche la deuxième phase consistant à faire partager les bonnes pratiques par tous, y compris, bien sûr, les nouveaux arrivants, et à mettre en résonance les politiques culturales et leur prolongement dans les chais. Cédric nous apporte également son sens de l'organisation, sa rigueur méthodologique et son énergie communicative.

Nous allons également visiter les domaines les plus prestigieux afin de confronter nos idées et d'en retirer des axes d'amélioration. Nous comprenons à ce titre l'intérêt de nommer Ghislain Coux maître de chai général, afin qu'il coordonne l'ensemble des détails depuis les dates de récolte, la vinification, l'élevage et la mise en bouteille.

Le temps des assemblages, entre janvier et mars, est une période cruciale pour l'obtention d'un grand vin. Elle est définie par les spécificités du millésime et par le caractère du produit qui, année après année, doit délivrer le message du terroir et révéler la conscience de ceux qui ont conçu et pensé le vin. Cet apprentissage prend du temps. J'ai vécu la patience de mon père avec ses collaborateurs. J'en ai également profité. Il est essentiel pour moi de travailler en équipe.

Mon père m'a appris les bases de ce métier, en particulier celui d'assembleur. L'assemblage demande une ascèse et une préparation. Une matinée de travail commence par un repas léger la veille et une bonne nuit de sommeil. Ensuite, le petit déjeuner doit être copieux afin d'éviter toute fringale.

La salle de dégustation porte dans ses murs l'empreinte des travaux précédents, comme une église est habitée par des milliers d'heures de prière. La mémoire du lieu nous permet de ressentir une énergie positive. J'aime déguster dans une pièce à 18 °C de température et servir les vins rouges, rosés ou blancs à 15 °C. Le cérémonial est toujours le même. Nous éteignons les téléphones, fermons la porte et commençons à échanger sur les objectifs de la séance et les derniers travaux réalisés dans la cave.

Ensuite, nous démarrons.

Il est essentiel d'établir un lien de complicité avec le directeur technique et le maître de chai. Il me paraît impossible de déguster seul.

Mon niveau d'exigence envers Jean-Baptiste Terlay, notre directeur technique, est très élevé, car il doit être en permanence le « gardien du temple ». C'est lui qui garantira la parfaite mise en œuvre des résultats de nos assemblages.

Trouver l'équilibre, entrer en résonance avec le produit dépassent l'usage des sens. On entre ici dans le domaine du ressenti, de l'émotionnel, de l'intuition pure. Il faut être aligné, accordé avec l'âme du vin. Il faut parfois quatre ou cinq séances de dégustation avant d'obtenir la révélation. Avec méthode, discipline, rigueur mais aussi et surtout par sensations, expressions et échanges, nous progressons pas à pas vers cette quête du Graal, d'un vin en harmonie avec son terroir d'origine, son caractère unique et son millésime singulier.

Ma rencontre avec Jean-Claude Berrouet a été décisive. En août 1989, je participe au château Notre-Dame-de-Gaussan, tout près de chez moi, à une conférence sur l'élevage en fûts animée par l'homme du château Petrus. Après un cours magistral de deux heures sur l'utilisation des fûts de chêne dans le processus d'élevage des vins, je m'approche de la tribune pour poser une question au conférencier. À ma grande surprise, en tant qu'amateur de rugby, il me reconnaît et me propose de lui rendre visite à Libourne.

Je ne me fais pas prier et le retrouve en janvier 1990 en apportant les échantillons du nouveau millésime du domaine-de-villemajou. Je suis surpris par sa simplicité, sa gentillesse, mais aussi par son très haut niveau d'exigence. Durant les vingt années qui suivirent, une fois par an, nous avons passé une journée ensemble dans son laboratoire à déguster et à travailler sur l'assemblage de ce vin. Jean-Claude, l'homme aux cinquante millésimes de Petrus, mais aussi l'homme de La Fleur-Petrus, de Trotanoy et de Magdeleine, devint alors mon référent, mon guide. Il représente à mes yeux le parfait équilibre entre cerveau droit et cerveau gauche, c'est-à-dire un savant dosage d'analyse et d'intuition.

Il m'apprend également que le vin doit délivrer le message, la musique, la partition de son terroir, de ses cépages et de son propriétaire. Il faut aller à l'essentiel, sans artifice ni maquillage, en recherchant la nature originelle du domaine. Goûter plutôt que déguster, ressentir les vibrations, la structure, la texture et la trame du vin.

Jean-Claude me communique aussi son sens millimétré de la précision, sa délicatesse à manipuler les verres ou les éprouvettes et son cérémonial précis et rythmé. Ne rien laisser au hasard, tendre vers la perfection, prendre le temps nécessaire pour terminer son œuvre. Nous continuons, à intervalles réguliers, nos échanges et nos dégustations. Ce sont toujours des moments de grande intensité.

En 1988, quelques jours après ma prise officielle d'activité, j'ai demandé au référent régional Marc Dubernet de me rendre visite afin d'effectuer une revue de cave. Ses conseils se sont révélés précieux. J'étais pourtant sur la défensive, car les traumatismes liés au départ soudain de mon père étaient toujours présents.

Marc a su prendre le temps de me remémorer ses vingt années passées avec mon père à construire un groupe coopératif important. Il est par nature féru de mathématiques, doué pour l'informatique et les sciences appliquées ; je suis plus direct, intuitif et moins rationnel. Il m'a fallu deux ans pour m'ouvrir à ses conseils. Nous avons, depuis, atteint un niveau de grande complicité et de confiance réciproque, ayant appris à nous connaître de façon que chacun enrichisse le travail et la performance de l'autre. J'ai toujours apprécié chez cet homme exceptionnel ses capacités d'analyse, son goût pour la synthèse et sa modestie. Nos jugements, nos commentaires se complètent, se rejoignent. Il n'y a aucun ego dans notre relation ; c'est un pur bonheur de travailler ensemble à la recherche perpétuelle de la qualité, aussi bien pour les vins de tous les jours que pour les grands vins.

Produire des vins, sélectionner les meilleurs bouchons, les plus beaux flaconnages, c'est aussi le travail d'Olivier Roux et de toute son équipe. Nous venons d'investir dans une nouvelle cave ultra-moderne au milieu des vignes. Ce bâtiment écologique conçu en forme de H représente le futur de notre groupe, la garantie finale pour le consommateur que tous les détails auront été contrôlés avant l'embouteillage. Paul Correia et son équipe veillent sur la qualité. Ce n'est pas seulement le goût du vin qui est en jeu, mais aussi le respect des méthodes et d'une organisation sans faille.

À dix-huit ans, j'étais timide et introverti. Mon père avait alors décidé de m'envoyer, pendant les deux mois d'été, sillonner les routes de la région afin de vendre de la blanquette de Limoux dans les caves coopératives. Autant essayer de vendre de la glace à des Esquimaux ! Les débuts furent très laborieux. J'ai passé trois jours sans oser entrer chez un client. J'ai eu la chance de rencontrer, à la cave coopérative de Villeveyrac, un directeur sympathique qui avait deviné mon stress et mon manque de confiance et m'encouragea en me commandant sur-le-champ trois cents bouteilles. Je sortis tout fier du rendez-vous, je bondissais sur le parking. Ce fut un déclic. Durant les deux mois qui suivirent, je vendis vingt mille bouteilles et j'inondai la région de bulles. Étant sûr de ne pas repasser, je conseillais à mes clients de remplir leur cave jusqu'aux fêtes de Noël.

J'ai toujours considéré que le commerce était le cœur de nos activités. J'éprouve donc un attachement spécial pour ceux qui remplissent les carnets de commandes et procurent du travail à tout le monde. La vente, c'est un match. On gagne ou on perd, mais il y a toujours une négociation. Il faut donc arriver au rendez-vous préparé, affûter ses arguments, hiérarchiser ses priorités afin de partager avec le client l'intérêt de référencer nos produits dans un partenariat durable. C'est moins difficile aujourd'hui, car nos vins sont connus et garants de qualité pour le consommateur. Mais la pression est toujours là. Pour faire ce métier, il faut aimer ces montées d'adrénaline.

Éric Lacombe mène de main de maître notre équipe dédiée à

la grande distribution et fait partager les valeurs du groupe à nos clients. Notre complicité est notre force. Stéphane Durand, après avoir porté avec moi le maillot de rugby de Narbonne, nous a rejoints pour développer le réseau de restaurants et de cavistes français. Son enthousiasme, sa passion et son énergie sont communicatifs. Éric, Stéphane et leur garde rapprochée, Patrick Costes, Stéphane Jollec, Aurélien Casteran, Romain Jammes, Cyril Jaffro et Philippe Folch, transmettent à leurs clients notre art de vivre. Ils ne sont pas mes collaborateurs, ils sont mes frères d'armes. Je me suis entouré de personnes ayant des valeurs de cœur, de courage, et aimant le combat. Mon cousin Guy, qui travaillait aux côtés de mon père, incarne le trait d'union entre les deux générations.

À l'export, la complexité et la diversité des marchés rendent la tâche plus complexe. Alistair Pine dirige l'équipe américaine avec fougue, passion et esprit de conquête. Alexandra Ladeuil en Europe, entourée de Laura Garrigue et Suzie Thevenin, Jan Visser en Asie, Jean-Philippe Turgeon au Canada et Christophe Balay sur les marchés duty-free essaient de fédérer les différentes personnalités de nos distributeurs et de leur faire partager notre savoir-faire et nos méthodes, tout en restant ouverts et attentifs à la culture et aux spécificités des pays. L'approche est très différente d'un continent à l'autre.

La taille de l'entreprise nécessitait la création d'une cellule marketing. S'occuper des besoins des autres, quoi de plus naturel. Il m'a paru nécessaire d'appuyer mes intuitions par des recherches, des études stratégiques, et de confier ce département à une femme, autonome, apportant un regard différent et décalé du mien. Karine Hamelin dirige avec son équipe les opérations avec brio, panache et sincérité.

Passer du savoir-faire au faire savoir implique de mener une politique de communication dédiée en France et dans le monde, mais aussi en interne. Véronique Braun, assistée de Katia Daguet et de ses collaborateurs, se charge d'assurer un relais efficace auprès des journalistes, des prescripteurs ou des *wine lovers* afin que les informations liées à nos vins, à l'actualité de la marque rayonnent à travers les différents contenus : presse écrite, radio, télévision, Web et bien sûr, maintenant, les réseaux sociaux. Elle veille aussi à la gestion du restaurant bien nommé L'Art de Vivre, de l'hôtel de charme, de la galerie artisanale et des nombreux événements que nous organisons toute l'année.

J'ai rencontré mon bras droit Michael Van Duijn il y a trois ans. À lui le *back-office*, c'est-à-dire la gestion des ressources humaines, le process, à moi le *front office*, donc les relations clients et la qualité des produits. Nous formons un binôme complémentaire et efficace, fondé sur un respect mutuel et un échange permanent. Ses origines flamandes lui ont donné un sens aigu de la gestion. Son rôle de directeur général me permet aussi de prendre un peu de hauteur sur certains domaines, en particulier sur la construction de notre nouvelle cave, qu'il a gérée de main de maître.

9

Voyages initiatiques

Partir à la découverte de soi, c'est d'abord aller à la rencontre des autres. C'est apprendre à dompter son stress, ses angoisses, et se tourner avec confiance vers un avenir fait d'opportunités et de merveilles. Cette démarche volontaire permet de s'affranchir de la pesanteur du regard de l'autre, de ses jugements et de ses critiques. Arriver à faire corps avec l'âme du monde, comprendre sa mission et son incarnation relèvent d'une démarche initiatique, d'un voyage intérieur que j'ai entrepris très tôt dans ma vie et dont le rythme s'est accéléré à la mort de mon père.

Le rugby m'a offert la possibilité de me sublimer et de repousser mes limites. Le sport m'a aussi donné confiance en moi et en mes semblables. Cette dimension fraternelle, cet élan du cœur m'ont ouvert les yeux et ont guidé mes pas. La lumière s'est allumée à plusieurs étages, elle n'allait plus s'éteindre.

Il en va du vin comme du rugby : la foi donne le courage nécessaire à la découverte et forge l'esprit d'entreprise.

Dès l'âge de vingt-deux ans, j'ai eu l'intime conviction que le développement de mon activité professionnelle passerait par les voyages et les rencontres. Après avoir construit, avec l'aide de quelques fidèles ambassadeurs, un réseau français solide et bien maillé, j'entrepris mes premiers déplacements en Europe, en Asie, puis en Amérique du Nord. Il m'a fallu vingt ans pour comprendre les subtilités du marché mondial, sa complexité et ses particularismes. Les Anglo-Saxons ont révélé le potentiel de nos terroirs français, ouvrant leurs réseaux et leurs connexions à nos vins parmi lesquels ceux de Bordeaux se sont taillé la part du lion. Mais la catégorie des vins du sud de la France était encore balbutiante sur notre continent et inexistante ailleurs. Cela ne fit que renforcer ma conviction qu'il ne servait à rien de se reposer uniquement sur la qualité des vins. Il fallait aller au-delà : établir des relations fortes avec les distributeurs afin de leur faire partager nos valeurs et notre art de vivre.

L'esprit de compétition forgé par le rugby fut mon principal allié, car les débuts furent ardus et le chemin semé d'embûches. Je compris pourquoi il avait été si difficile à mon père de vendre ses premières bouteilles. Je n'allais pas me résigner ou perdre le moral aux premiers écueils, bien que les doutes et les insomnies m'aient accompagné au début de cette aventure.

La providence, la synchronicité m'ont permis de faire les bonnes rencontres et de trouver un écho favorable auprès de personnalités fortes qui m'ont accordé leur confiance et ouvert leurs réseaux. Il s'agissait vraiment à chaque fois d'un élan et parfois d'une communion d'esprit. Partager un repas rabelaisien avec ces personnages était le prolongement de ce que j'avais déjà connu dans les troisièmes mi-temps. Quand les regards s'éclairent et que les barrières tombent, on peut enfin sonder l'humain, se confier, échanger et partager l'essentiel. Les effluves du vin ouvrent le cœur des hommes, leur donnent du courage, de l'empathie, et créent des liens. Boire quelques bonnes bouteilles, c'est aussi ouvrir la porte à la connaissance de l'autre, à l'abandon des ego et au partage de moments d'éternité.

Régis Boucabeille, originaire de Canet-d'Aude, près de Narbonne, a été l'un des premiers à s'exiler à Bruxelles pour promouvoir les vins de notre région, en vendant les terroirs du Languedoc et du Roussillon dans toute l'Europe avec bravoure. C'est un homme courageux, énergique et doté d'une force de conviction rare. Il m'a pris en sympathie en m'ouvrant quelques marchés importants en Belgique, aux Pays-Bas, en Allemagne et dans les pays nordiques. Il a été le premier ambassadeur de mes vins à l'international, m'initiant par ailleurs à l'art de la négociation et à la compréhension des marchés.

Un soir d'hiver, nous venons de passer trois heures à essayer de convaincre un acheteur de la qualité des vins de Castelmaure – très belle enclave des Hautes Corbières, que mon père avait dynamisée. Il faut nous rendre à l'évidence : nos arguments n'ont pas convaincu. Régis a alors une idée de génie : « Cher monsieur, dit-il, nous ne pouvons pas nous quitter sans avoir goûté ces vins, les vignerons le méritent bien. Comme il est tard, je vous propose d'ouvrir les bouteilles au restaurant d'à côté. » Nous buvons toutes les bouteilles et, à 2 heures du matin, au coin du bar, sur un morceau de papier, l'acheteur s'engage à en commander trente mille autres. On n'apprend pas ça dans les écoles, on le vit tout simplement sur le terrain.

Hervé Robert, un Français basé à Düsseldorf, m'a ouvert les yeux sur les besoins des clients, leurs comportements d'achat. Il a développé chez Jacques Wein Depot un savoir-faire exceptionnel et a su, avec l'appui de Kathy Feron et de son équipe, faire partager l'art de vivre français aux consommateurs allemands. Un tour de force !

Aux États-Unis, M. Mel Dick m'a accueilli avec bienveillance. Un homme exceptionnel ayant, avec le soutien de la famille Chaplin, créé en quarante ans la première société de distribution de vins et spiritueux d'Amérique. Il a commencé sa vie dans les rues de Brooklyn, se liant d'amitié au passage avec le grand boxeur américain Sugar Ray Robinson. Nous avons partagé les valeurs des sports de combat que sont la boxe et le rugby. À New York, il m'a donné ma chance et m'a dit : « Gérard, si tu as du succès ici, reviens me voir et on parlera des autres États. » En six mois, j'ai effectué six voyages dans cette ville pour vendre les premières bouteilles. L'histoire était en marche. Immédiatement après, il me présenta ses équipes et j'embauchais sept personnes aux États-Unis.

En vingt-cinq ans, nous avons tissé un réseau international fondé sur des valeurs essentielles d'échange et d'altruisme, et nous sommes maintenant présents dans cent pays, posant partout symboliquement le drapeau de notre région. Depuis une dizaine d'années, les partenariats que nous avons établis avec les plus grands chefs du monde m'ont permis de m'initier à de nombreuses traditions culinaires dans les meilleurs restaurants de la planète. Nous sommes fiers de pouvoir ainsi créer un lien fort entre les recettes de chaque pays et les vins du sud de la France.

Le monde entier aime notre pays, notre art de vivre et notre histoire. Nous devons continuer à cultiver cet état d'esprit, ce *French flair* qui nous rend si attachants, tout en restant ouverts et respectueux des autres traditions.

Au fil des années, je me suis rendu compte que j'aimais voyager, découvrir de nouvelles cultures, de nouveaux paysages, ainsi que les traditions, coutumes et rituels de chaque pays. J'ai aussi compris que la France était, ô combien, un passeport extraordinaire pour nouer des contacts. Voyager rend plus tolérant, plus conscient et plus réceptif à l'autre. Mes nombreux séjours en Asie, au Japon en particulier, m'ont permis de mieux comprendre ce pays. J'ai été impressionné par la solidarité, l'esprit de corps et la force du peuple japonais à la suite des événements de Fukushima.

De Tokyo à New York en passant par Amsterdam, Bruxelles, Miami, Kuala Lumpur, Rio de Janeiro, Shanghai, Londres, Berlin, Mexico ou Sidney, j'aime, partout où mes pérégrinations me portent, ressentir l'énergie de ces villes et découvrir la magie de ces lieux.

Parcourir le monde, c'est aussi être impatient de rentrer chez soi afin de ressentir à nouveau l'âme de son terroir, de sa terre et de celle de ses ancêtres. Chaque fois que je revois le pays, que je retrouve ma famille sur cette terre des Corbières, le rythme de mon cœur s'accélère et je me laisse envahir par les senteurs, la beauté du paysage, la mémoire des lieux. Et je me reconnecte ainsi à mon moi profond.

10

La pyramide des sens

Plus qu'un produit, plus qu'un breuvage, le vin est un substrat multidimensionnel. Depuis cinq mille ans, voire davantage, il est le compagnon des hommes et le lien entre les civilisations. En le reliant au sang de Jésus le Christ, L'Église catholique en fait un symbole de premier plan. Il est donc essentiel de réfléchir aux différentes attentes que le vin suscite et de rappeler quelques éléments de son histoire.

Jusqu'à la fin du XIXe siècle, le vin est bu dans quelques pays européens à forte tradition : la France, l'Italie, l'Espagne, le Portugal, ainsi que plus tard la Suisse, l'Allemagne, l'Autriche, et les pays de l'Est, où l'on produit de très bons vins rouges en Crimée et en Géorgie – berceau historique du vin –, les réputés tokays en Hongrie et d'autres liquoreux en Roumanie. Plus tard, les Chiliens, les Argentins, les Mexicains cultivent la vigne par intervalles, avant de revenir plus récemment dans la course à la mondialisation. Les Californiens, s'appuyant sur la tradition biséculaire des vignobles plantés par les moines espagnols, suivent et contribuent fortement à l'essor de la consommation de vin aux États-Unis.

Plus récemment, l'Asie, en particulier le Japon, puis la Chine, développent un vif intérêt pour le vin. Au-delà de la dégustation, ils se passionnent pour la culture et l'histoire des régions viticoles, marquées par le prestige des crus de notre pays, notamment bordelais ou bourguignons. Avec beaucoup de respect, de cérémonial et d'humilité, les Japonais favorisent l'émergence des vins français, puis européens, et plus récemment du Nouveau Monde, en plaçant le produit au centre du repas. Leur cuisine ancestrale à base de poisson n'est pourtant pas l'association idéale avec les vins rouges, dont ils sont le plus friands. Au fil des décennies, ils introduisent petit à petit le vin au cœur des dîners de gala, faisant du service des grandes bouteilles une marque de raffinement, de lien interculturel. La consommation annuelle par habitant reste au Japon relativement faible, et se concentre essentiellement pendant les fêtes de fin d'année.

En Chine, le passage du communisme au capitalisme vers la fin des années quatre-vingt entraîne l'apparition de nouveaux millionnaires et d'une classe moyenne émergente, pour laquelle le vin devient une marque de statut social à travers l'achat de grands crus de Bordeaux. Faire partie du cercle fermé de collectionneurs de Petrus, de Château Latour et en particulier de Château Lafite Rothschild équivaut, pour ces nouveaux riches, à l'obtention d'un passeport d'entrée dans le gotha mondial.

À l'ouest de la Chine, les Russes développent cette même frénésie de consommation, liée à un phénomène de luxe plus global relayé par les marques de haute couture, de prêt-à-porter et de joaillerie. Elles fonctionnent sur des cycles bisannuels remarquablement orchestrés par les *fashion weeks*, véritable cirque ambulant réservé aux élites financières de la planète et développé par une stratégie astucieuse de mass-market. Le vin est désormais entré dans la danse frénétique et cadencée des produits de grande consommation.

La dégustation traditionnelle des primeurs à Bordeaux n'est plus aujourd'hui le seul rituel dédié à l'annonce de la qualité du nouveau millésime. Certes, Bordeaux, par la puissance économique de la place et par son organisation unique, reste loin devant en termes d'attractivité. Cependant, sur les cinq continents, on assiste à une explosion des salons, des foires et des dégustations. Ces événements ne sont plus uniquement réservés aux professionnels, mais aussi aux consommateurs et aux amoureux du vin. Les relais efficaces que constituent les réseaux sociaux, ainsi que les nombreuses applications disponibles sur nos téléphones et nos tablettes contribuent à diffuser les informations, donnant à tous accès à une meilleure connaissance de l'offre.

Dans les années quatre-vingt, les journalistes français, anglais et américains sont les premiers à favoriser l'essor de la profession. Les deux premiers le font de manière académique et encyclopédique, les États-Unis s'y prennent de façon plus novatrice. Après un voyage en amoureux dans notre pays, Robert Parker a une idée de génie : publier une revue, *The Wine Advocate*, dans laquelle il notera les vins en rompant avec le système traditionnel européen échelonné de 0 à 20. Il crée la note sur 100. Pendant plusieurs années, Parker devient le palais de référence, et son influence au plan mondial est aussi rapide que déterminante pour la hiérarchisation des vins et des crus. Il crée également le lien entre l'Ancien et le Nouveau Monde, dont il favorise l'émergence. L'élévation des cabernets-sauvignons californiens au niveau des meilleurs bordeaux contribue à développer la consommation des vins produits sur tous les continents. On passe, en trente ans, d'un marché restreint à une diffusion mondiale, dont la règle change tous les jours.

Dans le même temps, l'approche liée au cépage, plus aisée pour les nouveaux consommateurs, prend le dessus sur le terroir et ses mystères.

Il est temps de créer une segmentation qui ne soit pas uniquement liée à la provenance des vins (IGP : Indication géographique protégée, ou AOP : Appellation d'origine protégée), dont les modèles sont français, italien et espagnol. Les Anglo-Saxons, plus pragmatiques, définissent dans les années quatre-vingt-dix une nouvelle organisation en sept catégories :

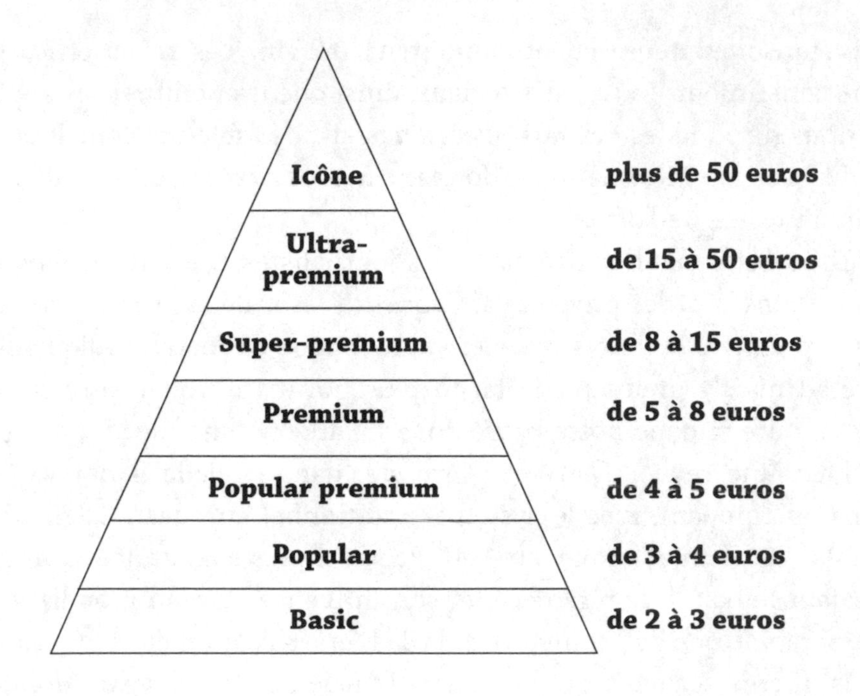

Après une mûre réflexion et de nombreux voyages, je pense qu'il est temps d'organiser aujourd'hui la hiérarchisation des vins de manière différente, car la clef d'entrée par le prix n'est plus le premier critère de choix pour les consommateurs. Il y a vingt ans, le prix d'un vin de bonne qualité était au maximum dix fois inférieur à celui d'une bouteille d'exception. Ce rapport a explosé et est passé de un à cent aujourd'hui, avec l'intérêt grandissant pour les grands crus, dont la cote dépend souvent des notes décernées par les journalistes.

On remarque aussi l'apparition d'un phénomène nouveau, lié à la spéculation et à la production limitée de cuvées parcellaires, insuffisante pour alimenter une demande soutenue. Cependant, la crise financière et l'effet lié au changement du mode de gouvernance en Chine créent quelques turbulences, ralentissant la demande, malgré les réservoirs de croissance, représentés par le Brésil, le Nigeria, la Colombie et l'Inde en particulier.

La seconde voie, plus originale, consiste à classer les vins en lien direct, non plus avec le marché, mais avec ceux qui les boivent. Ceux-ci sont en train, petit à petit, de prendre le pouvoir et de s'affranchir partiellement des règles du marché. Les amoureux du vin savent qu'avec leur téléphone portable, et en dix secondes, ils peuvent se relier à tous les vignerons. Il n'y a plus de secret pour celui qui veut tout savoir. La planète est devenue un jardin où, de son fauteuil, en sirotant un bon verre de rosé, le consommateur peut commander pratiquement tout ce dont il a envie. Bien sûr, les problèmes liés à la logistique et aux réglementations douanières sont aujourd'hui des limites au libre-échange, mais il n'en demeure pas moins que le consommateur est en train de s'affirmer. Certains parmi eux sont aussi devenus des conseilleurs sur la blogosphère.

Je crois, pour ma part, à une nouvelle organisation moins mercantile, davantage liée aux besoins des consommateurs, et répartie en quatre catégories :

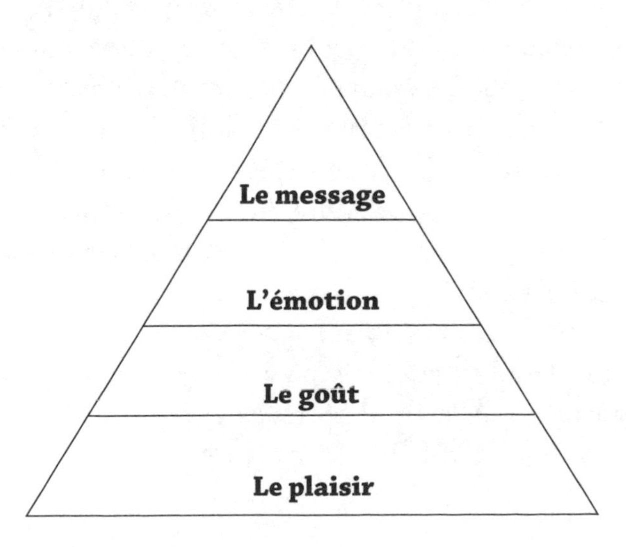

Il existe de plus en plus de consommateurs curieux de découvrir de nouveaux territoires et favorables à la perception et à l'éveil des sens. Les hommes et les femmes ne doivent plus subir le diktat des étiquettes mais au contraire se forger eux-mêmes leurs critères, résultant de leurs envies. De nos jours, on ne consomme plus le vin comme un aliment. Ce type de comportement s'est éteint avec l'arrêt des travaux physiques pénibles, qui étaient monnaie courante à une époque où le vin était un carburant nécessaire dans la ration calorique quotidienne. L'évolution des techniques de vinification, la cueillette à maturité et d'autres améliorations qualitatives de la viticulture actuelle permettent d'éliminer presque totalement les mauvaises bouteilles.

Le plaisir

Le premier niveau d'appréhension du vin est celui du plaisir, qui est d'abord le fruit d'une découverte, et du partage. Aujourd'hui, le nombre des consommateurs réguliers diminue et celui des consommateurs occasionnels est en augmentation constante, suivant ainsi l'évolution d'un mode de vie plus sédentaire.

Le plaisir, dans un vin, est caractérisé tout d'abord par la couleur. Sa robe doit être franche, brillante, lumineuse. Ensuite, au nez, on doit retrouver une intensité suffisante et une certaine typicité liée au cépage ou à l'assemblage.

Le plaisir doit être accessible dès la mise en bouche. Un vin n'est pas créé pour être dégusté mais pour être bu, ce qui est de la plus grande importance. À la fin d'un repas entre convives, le vigneron a réussi sa mission si la bouteille est vide.

Le goût

Nous entrons maintenant dans un autre univers. Le curseur se déplace vers la fameuse « gouttière du bonheur ». Le goût est situé dans la gorge ; c'est ce qui reste une fois que l'on a bu le vin. On peut distinguer le goût et l'arrière-goût : les spécialistes appellent cela les caudalies. En langage courant c'est la « longueur en bouche ».

En règle générale, le goût est caractérisé par une originalité, une persistance liée à l'âge des vignes et aux rendements limités. Il est fascinant, lorsque l'on a assez de pratique ou d'expertise, de pouvoir faire le lien entre le goût du vin et les caractéristiques intrinsèques du terroir. Le sol, le sous-sol et l'environnement immédiat d'une vigne imprègnent le raisin durant sa phase d'évolution, soit du mois de mai au mois de septembre.

Le raisin, après fermentation, est le seul fruit qui peut délivrer les arômes de tous les autres fruits et de nombreux végétaux, ainsi que les caractéristiques du sol (schiste, fer, calcaire...). Par comparaison, le cidre a le goût de pomme, tout simplement.

En bon épicurien, j´aime travailler les associations mets et vins, en particulier avec les recettes de cuisine. L'interaction entre les deux doit être totale et créer une osmose, une symphonie. Le vin, par son pouvoir d'amplification gustative, élargit le spectre défini par le sucré, le salé, l'acide et l'amer. Il révèle aussi des notes beaucoup plus subtiles liées à l'évolution et aux origines des raisins. On peut toujours aller plus loin que ces définitions courantes, car le goût est souvent une question de tradition. Les Japonais ont repéré une « cinquième saveur » qu'ils appellent *umami*. On peut la retrouver dans certains poissons séchés, ou plus simplement dans la sauce de soja. Cette finesse d'appréciation du goût existe dans toutes les cultures, même si celles-ci n'ont pas toujours les mots pour la décrire.

Le goût, c'est le sel de la vie, et le vin l'amplifie.

L'émotion

Nous voilà à présent dans ce qui nous rapproche de l'essentiel : le cœur.

Éprouver une émotion grâce à un vin requiert un processus indispensable et méthodique. Il faut d'abord être entouré des gens que l'on aime ou que l'on apprécie. Ensuite, le choix du vin doit se porter vers l'excellence, la pureté, la vérité, l'alchimie entre le vigneron et son terroir.

Le millésime choisi doit être à son apogée, prêt à boire. Un grand vin rouge commence à livrer ses mystères au bout de dix années de vieillissement ; un grand vin blanc ou un vin effervescent peuvent arriver à maturité un peu plus tôt. Pour les vins doux naturels, je recommande un minimum de cinquante années de maturation.

Après avoir choisi le vin, on doit le préparer et le déboucher à l'avance pour favoriser l'aération, et si nécessaire le décanter. La température de service doit être appropriée. Pour tous détails de service et d'accord, je recommande de suivre les conseils du vigneron, souvent indiqués sur la contre-étiquette et ceux du sommelier au restaurant, car il est très important que le vin puisse rivaliser avec le mets servi, sans l'écraser ni le contrarier.

Il n'y a pas de vérité absolue en terme d'accord, même si, avec les viandes, je recommande généralement les vins rouges, à cause des protéines qui vont adoucir les tanins du vin une fois en bouche. Avec les fromages, il faut savoir distinguer les pâtes acides telles que les chèvres, qui se marient mieux avec les vins blancs, des pâtes molles qui s'harmonisent avec les vins rouges. Les fromages forts s'entendent bien avec les vins liquoreux et les vins doux naturels.

Une fois tous ces préalables franchis, comme par magie le temps peut s'arrêter, et l'on peut vivre un moment d'éternité avec un grand vin. L'émotion est alors à son paroxysme. Elle peut être éprouvée de manière collective – si tous les convives sont dotés d'une ouverture d'esprit et d'un niveau de connaissance suffisants –, parfois partagée en petit comité au coin d'une table, ou vécue plus égoïstement si vous êtes le seul à avoir été touché. Dans ce dernier cas, l'émotion sera cependant moins forte que s'il y a communion d'esprit.

En tout état de cause, je vous conseille, avant d'ouvrir une grande bouteille, de choisir vos convives, car les émotions sont toujours rares.

Le message

Après l'éveil des cinq sens, il est possible d'ouvrir une nouvelle porte : celle du message.

Parfois, le flux d'émotions laisse la place à une ouverture et à une expérience mystique. Il n'est pas nécessaire d'avoir la foi pour atteindre cet état de conscience, mais cela peut aider. Lorsqu'un sentiment de paix intérieure, de sérénité, d'amour et d'harmonie vous envahit, vous êtes prêt à faire corps avec l'âme du vin, à percevoir son essence. Cela demande une certaine pratique, ainsi qu'une bonne connaissance, mais surtout une capacité à s'émerveiller.

Quand cela arrive pour la première fois, tout devient ensuite plus facile, car on a gravi plusieurs marches. Jacob, dans ses songes, avait aperçu une échelle reliant la Terre et le ciel et y voyait des anges de Dieu monter et descendre[1]. Certains vins ont le potentiel de vous faire vivre ce type d'expérience, car ils sont uniques, et leurs

1. La Bible, Genèse 28 : 11-19

concepteurs ont pour but ultime de révéler le message du terroir, l'alchimie entre le sol, le climat, les cépages et les caractéristiques du millésime.

Ces vins ne sont pas le fruit d'ego surdimensionnés mais d'un équilibre parfait et humble, afin que la main de l'homme puisse créer un chef-d'œuvre, à l'instar des grands peintres. On touche ici à l'art, qui représente la forme la plus aboutie du comportement humain.

Alléluia !

11

La biodynamie

2002 : la biodynamie est introduite à Cigalus

Étant un utilisateur régulier de médecine homéopathique, j'ai souhaité tester la biodynamie sur deux hectares. Je tente l'expérience avec notre responsable Gilles de Baudus, un homme passionné et engagé, disciple de Jacques Mell – membre du comité de direction de Demeter, l'organisation de référence pour la biodynamie en France et dans le monde. Nous choisissons délibérément la vigne la plus difficile, celle n'offrant plus d'avenir en agriculture conventionnelle, afin de tester le bien-fondé de la démarche. Nous divisons cette parcelle de quatre hectares en deux parties égales, l'une étant cultivée en biodynamie et l'autre restant en agriculture raisonnée.

Au bout de deux années d'expérimentation, nous apercevons des changements au sein de la vigne biodynamique. Les symptômes liés au « court noué », maladie dégénérative de la vigne, ainsi que la coulure du cépage merlot sont en régression, et la maturation des raisins s'est améliorée. L'utilisation de décoctions de plantes pulvérisées à dose homéopathique avec de l'eau dynamisée[1] se révèle un succès et nous affranchit des produits chimiques.

1. L'eau est versée dans une cuve en bois, puis dynamisée en créant des mouvements alternatifs de gauche à droite et de droite à gauche pendant 20 minutes.

Pendant les vendanges, la dégustation des raisins me procure un étonnant plaisir tactile : le goût du cépage est renforcé, et j'éprouve une sensation d'harmonie en bouche, incomparable avec la dégustation de baies imprégnées de résidus de produits de traitement, qui m'irritent la muqueuse.

À la cave aussi, les débuts sont très encourageants et la vinification séparée des deux vins se révèle sans équivoque. On devine, dans le premier, plus de fraîcheur, de fruité et de minéralité. La sagesse me rappelle que la vigne n'est pas une culture hors sol mais est, au contraire, totalement imprégnée du rôle primordial de son environnement.

Il nous paraît alors évident de convertir toute la parcelle. Ce passage induit une période de purgatoire de trois ou quatre ans, liée au niveau de contamination des sols. Tout part de la terre et tout y revient !

Les applications biodynamiques pendant le cycle végétatif de la vigne renforcent l'harmonie des plantations, en étroite liaison avec les forces terrestres et celles du cosmos. L'influence de la Lune, du Soleil et des astres est fondamentale, particulièrement celle des planètes intérieures au Soleil que sont la Lune, Mercure et Vénus, et ensuite celle des planètes plus lointaines, extérieures au soleil : Mars, Jupiter et Saturne.

« L'interaction très forte de ces planètes est reliée au végétal par la silice et le calcaire », écrit Steiner. La silice, constituant majeur de la croûte terrestre, exerce une activité essentielle au développement de la plante : elle la vitalise, l'harmonise avec son milieu, légitime sa nature même et son utilité. L'interaction de la silice avec les

---

Ce phénomène s'appelle le vortex. La dynamisation est obtenue grâce à un circuit oléo dynamique. L'eau va être propulsée par des pales dans un sens et donc crée un tourbillon, pendant un certain temps, selon le type de préparation que l'on veut dynamiser, et le moteur va ensuite se couper (la pause) et reprend le mouvement dans le sens inverse (contre tourbillon).

forêts ou les arbres avoisinants est essentielle à leur développement harmonieux. La partie de la plante liée à la reproduction, au cycle vital, est pour sa part en relation étroite avec le calcaire, par le biais des planètes proches.

L'application de ces principes à la vigne met en évidence le rôle des forces astrales et terrestres, particulièrement lors de la dégustation.

Mon ami et conseiller avisé Jean-Claude Berrouet nous a initiés à la dégustation de pierres. Sucer des cailloux, au-delà d'être original, révèle la saveur du terroir et permet d'observer des similitudes étonnantes avec le goût du vin. La minéralité s'exprime surtout en fin de bouche par une tension et un déclenchement de jets de salive. Le calcaire, par exemple, est salé. Les galets roulés ont le goût du fer, contenu dans le silex. Tout cela est passionnant et nous ramène à l'enfance. Combien de fois avons-nous entendu les parents demander à leurs enfants de cracher les pierres qu'ils mettaient dans leur bouche ? En vérité, les enfants, naturellement et inconsciemment, goûtent les minéraux pour se connecter à la nature. Je n'ai jamais vu d'enfants avaler de cailloux.

Nos peurs sont souvent responsables de la rupture marquée avec des savoir-faire ancestraux. L'homme commet le péché d'orgueil de vouloir être le maître de jeu. Il oublie que nous sommes de passage et que la nature est plus intelligente que nous. Elle s'autorégule depuis des milliards d'années, alors que l'influence grandissante de l'homme sur son environnement est très récente. Elle nous avertit et nous rappelle à l'ordre si elle se sent en danger, en développant des systèmes de protection afin de résister aux agressions liées à la production humaine.

La Lune exerce une influence primordiale sur la vie végétale et celle de la vigne en particulier. Les anciens l'utilisaient pour rythmer les différents travaux viticoles et agricoles. Ce calendrier est le mètre étalon de tout bon viticulteur cultivant en biologique ou en biodynamie.

Je fais volontairement ici la distinction entre les deux méthodes culturales. En effet, la culture dite biologique, normée par le logo AB, marque une avancée significative dans l'évolution de l'agriculture française. Cette prise de conscience a eu lieu il y a une trentaine d'années et permet de développer la production de fruits, de légumes, d'aliments d'origine animale et de vins de qualité. Les agriculteurs bio mettent fin à la pollution des sols et à l'utilisation de produits de synthèse. Le résultat de ces avancées garantit des produits sains, naturels, ayant retrouvé des caractéristiques gustatives et nutritionnelles supérieures. La grande distribution, les réseaux spécialisés en France et dans le monde contribuent à la diffusion de ces produits. Ce processus est encourageant pour l'humanité.

La culture biodynamique va plus loin : elle décontamine les sols en profondeur et induit une dimension spirituelle partagée par les paysans, qui doivent tenir compte, dans leurs travaux, de l'environnement immédiat et de l'équilibre des paysages avoisinants. L'utilisation de silice ou de tisanes de plantes, telles que l'achillée millefeuille, le chêne, le pissenlit, les orties, pulvérisées à différents stades de l'évolution du végétal, aligne les cultures avec les forces cosmiques et terrestres.

Il s'agit d'une philosophie ou, comme les Grecs l'interprétaient, d'une *sophia*, donnant une force spirituelle à l'action de l'homme et à sa connexion avec l'équilibre de la nature.

Le calendrier lunaire exerce également une influence de premier plan dans le processus du choix des dates de récolte, de vinification, d'élevage et d'embouteillage des vins. On peut y observer cinq types de journée différents, rythmant les mois de l'année : jours fruits, jours fleurs, jours racines, jours feuilles et nœuds lunaires.

Le soutirage ou la mise en bouteille doivent être réalisés seulement les jours fruits ou fleurs afin d'optimiser l'ouverture des vins et de développer leur dimension fruitée. Un peu de pratique met en évidence les différences de perception des crus avant ou après embouteillage. Cela permet aussi de mieux comprendre, pour un même vin dégusté sur plusieurs jours, la différence, parfois subtile, entre le goût et l'équilibre du produit.

Les vins biodynamiques, en révélant l'expression intrinsèque du terroir et le talent du vigneron, sont liés au monde du vivant.

Steiner a conceptualisé le savoir-faire des paysans, lié à l'observation et au bon sens, et l'a porté beaucoup plus loin par son enseignement. Dans sa troisième conférence, il explique les actions et les interactions de l'azote, du soufre, du carbone, de l'hydrogène, de l'oxygène, et l'importance de l'esprit dans la nature ainsi que son organisation et son influence harmonieuse. Il révèle aussi le rôle des forces astrales et terrestres, celui joué par l'azote mort et l'azote vivant, et son influence sur les plantes et le psychisme chez l'homme. Le soleil et l'eau interagissent très fortement avec le calcaire, la silice et les planètes, en particulier la Lune. Un orage avant la pleine lune est la garantie d'une croissance soutenue et extraordinaire de la plante.

Cette organisation sans faille, cet ordonnancement précis, cette prodigieuse complexité interrogent l'homme sur l'action et la puissance d'une force supérieure qui nous unit, nous connecte et nous responsabilise, au sein de la hiérarchie des mondes minéral, végétal, animal et humain, afin de nous aider à organiser notre vie en communauté.

La culture en biodynamie favorise ainsi le développement de la conscience humaine au service d'une certaine forme de sagesse et de respect pour la nature. Il s'agit là d'un nouveau paradigme qui nous projette dans une nouvelle ère où la peur, le stress et les angoisses auront laissé la place à la paix, l'amour et l'harmonie sur notre planète.

12

La croix wisigothe

Les Wisigoths furent entre le IIIe et le VIIe siècle de notre ère le peuple barbare d'origine germanique le plus prestigieux d'Europe. Étymologiquement, on a longtemps pensé que leur nom signifiait « Goths de l'Ouest », en opposition aux Ostrogoths, peuple de l'Est. En réalité, il signifie « les Goths sages », les Ostrogoths étant, eux, les « Goths brillants ».

De leur territoire d'origine, situé dans la région de la mer Noire, ils ont migré tout d'abord en Dacie (l'actuelle Roumanie). Ensuite, dès 376, ils partirent à la conquête de l'Ouest européen et s'installèrent dans l'Empire romain, en Hispanie (Espagne) et en Aquitaine (France). En tout, ils sont restés deux cent cinquante ans dans l'Ouest. Le royaume wisigoth avait pour capitale Toulouse ; lorsqu'ils furent battus par Clovis en 507 à la bataille de Vouillé, ils ne conservèrent que la Septimanie (l'actuel Languedoc, s'étendant jusqu'à Elne, en Roussillon) et la Provence. Malgré cela, ils restèrent influents dans notre région pendant près de deux cents ans, jusqu'à la fin du VIIe siècle, ainsi qu'en Espagne, où leur capitale était Tolède. En 711, leur royaume ibérique fut conquis par les musulmans, mais des formes d'organisation culturelles et juridiques d'origine wisigothe subsistèrent ensuite pendant plusieurs décennies.

Leur religion était l'arianisme, qui considérait Jésus-Christ non pas comme Dieu, mais comme un être distinct créé directement par ce dernier. Cette croyance était considérée comme une hérésie par l'Église trinitaire, à laquelle ils ne se rallièrent qu'en 589.

La croix ayant servi de modèle à celle-ci semble avoir été sculptée à Narbonne dans du marbre local par un ornemaniste dans la première moitié du Ve siècle, sous le règne d'Alaric II. Elle est devenue le symbole de la Septimanie. Cette croix est unique dans sa conception et très complexe avec ses perles, ses cercles, son alpha et son oméga suspendus aux bras horizontaux, première et dernière lettre de l'alphabet grec, signifiant le début et la fin du temps.

Sur le marbre d'origine (que l'on peut voir au musée lapidaire de Narbonne), deux personnages tiennent la croix : un la soutient de la main gauche, l'autre la tient fermement de la main droite. Au pied du personnage tenant la croix, le sculpteur a représenté un animal, qui n'est pas un chien mais un crocodile. Il n'est pas enchaîné et semble être familier du personnage, qui pourrait être un moine égyptien.

Les oiseaux qui s'abreuvent au canthare, au sommet de la croix, sont des colombes. Cette image symbolise le partage, la communion et la paix.

Cette croix m'a été proposée par mon ami le professeur Jacques Michaud. Elle nous sert aujourd'hui d'emblème et véhicule nos valeurs. Ce logo fait partie intégrante de notre bloc-marque et figure sur tous nos documents officiels et sur de nombreuses étiquettes.

Le symbole de la croix est probablement aussi vieux que l'humanité. À l'origine, la croix était une représentation primitive de l'homme debout, ou bien encore, plus tard, de la croisée des chemins. Quoi qu'il en soit, on la retrouve chez les Égyptiens avec la fameuse croix de Vie, puis, si l'on saute allégrement quelques siècles, elle nous apparaît au centre du drame de la crucifixion du Christ par les Romains. Elle devient donc un symbole chrétien. La croix nous intéressant est d'une forme un peu différente de celle de la croix romaine, parce que ses quatre branches sont de longueur égale. Elle trouve son origine dans l'empire d'Orient, celui que l'on appelle byzantin, et qui devint wisigoth après l'invasion de Rome par les Barbares.

Les quatre branches peuvent être reliées aux quatre directions, aux quatre éléments, aux quatre saisons et en général au chiffre 4, qui est celui de la construction dans le tarot (L'Empereur) et celui de la terre (Malkuth) dans la kabbale. Ici, il s'agit d'ancrer l'homme, de lui montrer le chemin de l'incarnation, comme un point précis dans l'espace et le temps. Un peu comme la vigne, enracinée dans un terroir, dans la matière. Et il ne faut jamais oublier que 4 multiplié par le 3 de la Trinité (en l'occurrence le couple de colombes et la coupe) produit les douze mois de l'année, les douze heures de la course du soleil au solstice d'été, les douze marches qui mènent à la sagesse, les douze signes du zodiaque...

Les deux barres de la croix possèdent une signification particulière. L'une, verticale, nous évoque l'*Histoire* – celle de la terre, mais aussi celle que l'on retrouve par-delà le temps dans un vieux vin que l'on déguste –, la lignée, l'importance des racines, des ancêtres. De plus, en raison de sa position verticale, elle constitue un lien entre Dieu et les hommes, donc elle nous parle de *spiritualité*, celle-là même qui n'est jamais absente du vin. L'autre, horizontale, nous rappelle le territoire, mais aussi la fratrie, le groupe, la mêlée.

Concernant la dégustation des vins, on peut faire une *verticale* – par exemple, du millésime 2000 au millésime 2005 d'un même domaine – ou bien une *horizontale*, c'est-à-dire plusieurs crus différents du même millésime…

On ne peut pas comparer la croix de Narbonne à la croix occitane, plus simple avec ses douze pointes réparties sur ses quatre branches et rien de plus. Ce qui distingue cette croix de toutes les autres, c'est sa relation à la vigne, considérée à la fois comme production terrienne mais aussi porteuse de sacré. Les colombes sont des messagères de Dieu si l'on pense à l'arche de Noé, à l'Annonciation, ou bien au Saint-Esprit, mais elles représentent également l'idée de partage et de paix, car elles réalisent entre elles une harmonie parfaite en buvant à la même coupe. La signification de la coupe, d'ailleurs, est double : d'abord, c'est la coupe qui évoque la transmutation, le Graal et la quête de l'esprit. Puis, la coupe contient le vin, le mystère de la fermentation, la porte vers Dieu selon le poète soufi persan Omar Khayyām (XIe siècle), celle que l'on se passait de convive en convive, des grands banquets du Moyen Âge à ceux, plus subtils, du XVIIe siècle…

Narbonne est liée à la vigne depuis toujours. Parce que cette ville est au centre de la première région productrice de vin au monde.

13

Clos d'Ora

Aller au bout de ses rêves

Tout a commencé par cette vision que j'ai eue en me promenant sur ce site en 1997.

Je me suis senti en osmose avec la nature ; j'en ai éprouvé un sentiment d'amour pour la Création, ce qui a généré une question essentielle : pourquoi là, au milieu de ce tas de pierres, dans un lieu où la nature semblait avoir repris ses droits ?

Nous sommes à La Livinière, sur les contreforts de la montagne Noire, à une altitude de deux cent cinquante mètres, entourés aux quatre points cardinaux par la garrigue et la végétation méditerranéenne. La topographie du lieu, sa difficulté d'accès, cette faille liant des sols marneux et calcaires m'ont interpellé.

Le sentiment de plénitude que j'ai éprouvé à ce moment-là m'a ému.

Ce vin est né de cette maturation lente de mon esprit, de mes convictions profondes en vue d'un avenir meilleur, de ma démarche holistique liée à l'expérimentation de la pensée positive et à la réalisation de la puissance spirituelle.

Il est une forme d'aboutissement, le couronnement d'un cycle de vingt-six ans de recherche, de rencontres, de messages. Il ouvre une porte sur une nouvelle période, une nouvelle ère où l'on souhaite modestement, mais activement, contribuer à favoriser la prise de conscience menant à davantage de confiance, de sérénité, de quiétude, de spiritualité et de prospérité pour notre nouveau monde.

Ora est la forme impérative du verbe latin *oro, orare* ; ce mot évoque la parole et surtout la prière : *ora pro nobis*, priez pour nous. En grec, c'est l'heure, ou le fait de grandir dans le futur. Nos ancêtres appelaient cela le principe de l'alpha et de l'oméga, du commencement et de la fin des temps, que l'on retrouve aussi sur la croix wisigothe. Cet espace temporel se disait Ora (ΩPA).

La trinité représentée par le passé, le présent et le futur permet à l'homme de s'incarner, de grandir et de s'élever spirituellement. Et la fin des temps, désignée par le terme *apocalypsis* (« révélation »), ne signifie pas la fin du monde mais le passage à un autre temps.

Nous vivons actuellement une période tourmentée, agitée, où l'on observe une accélération du temps. C'est une époque passionnante, unique. L'homme devient de plus en plus intelligent, mais aussi de moins en moins intuitif ; il subit un nombre croissant d'influences, au détriment de sa sagesse et de sa sensibilité. La technologie, les modes de communication modernes ont tendance à lui faire oublier son incarnation et sa raison d'être. Il vit aujourd'hui dans la peur et l'angoisse collective, dans l'ignorance de son lendemain. Il en oublie d'utiliser ses facultés sensorielles, son énergie, son esprit et son subconscient.

Il est confronté à un défi que lui pose le temps actuel : lâcher le connu pour aller dans l'inconnu. Ce défi suscite en lui des craintes, des crispations, de la violence. La tentation dominante est pour lui de s'accrocher à ce qu'il quitte, au lieu de lâcher prise et d'ouvrir son cœur et son esprit à un nouveau paradigme.

Le temps est venu pour l'homme de se connecter de nouveau à l'Univers, d'utiliser son potentiel d'ouverture en se laissant guider par ses intuitions. En 2004, lors du grand tsunami en Thaïlande, on a constaté que les animaux avaient quitté la zone avant le drame.

Dans le langage courant, cette capacité est reprise par l'expression « les rats quittent le navire avant qu'il ne coule ». Tout cela démontre que les êtres vivants possèdent un sens de l'observation et un ressenti, ainsi qu'une connexion d'ordre supérieur avec la nature, leur permettant de recevoir par instinct les informations avant qu'un danger ne se produise. Bien que l'homme dispose aussi naturellement de ces capacités, il a malheureusement tendance à s'en déposséder à notre ère contemporaine.

Si une minorité d'humains pratiquaient la pensée positive et créaient, pour eux-mêmes et pour autrui, des potentiels dans le futur fondés sur la paix, l'amour et l'harmonie, cela ne pourrait avoir qu'une influence positive sur chacun individuellement et sur l'ensemble de la collectivité. Il s'agit d'un message biblique et universel : aimez-vous les uns les autres. Tu aimeras ton prochain comme toi-même.

Quelque temps après la révélation que j'ai reçue sur ce lieu unique, je me rendis compte que j'avais éprouvé une sensation de légèreté, de grâce, d'apesanteur, un besoin de me connecter avec l'essence de la Création, de méditer.

La méditation est devenue pour moi un exercice régulier, quotidien, plutôt matinal, afin d'abord de dire merci pour cette journée qui commence et de laisser ouvert le champ de toutes les possibilités en profitant des mystères et des merveilles potentielles.

Cette préparation a modifié mon approche de la vie, me permettant de réduire considérablement le stress et l'angoisse, et favorisant la transcendance. Il suffit juste d'observer le lever du soleil depuis sa fenêtre pour être en harmonie avec la beauté, l'équilibre parfait de la Création. Cela renforce mes convictions, me permet de donner du sens à ce que j'entreprends, de mieux vivre les moments difficiles lorsqu'ils se présentent, et d'oser m'affranchir du pessimisme ambiant.

Explorer de nouveaux horizons, partir vers l'inconnu, c'est le sel de la vie. Pourtant, force est de constater que l'homme d'aujourd'hui semble avoir perdu la source de son intuition, distrait et sollicité par d'innombrables interférences et par l'attrait du superficiel – une information en chassant une autre – ainsi que par les chimères de la société de consommation.

Dans le monde agricole, le bon sens paysan lié à l'observation, à la connaissance de l'environnement a progressivement laissé la place à la standardisation, à l'uniformisation des symptômes et donc des traitements. La chimie de synthèse a en partie remplacé les recettes traditionnelles. Par la suite, on a pu observer pendant des années une amélioration supposée de la qualité des produits agricoles, ainsi que des vins. En viticulture, cela s'est fait conjointement avec une meilleure utilisation de l'œnologie et la vulgarisation des techniques de vinification. Cette évolution a été associée à la révolution liée à l'économie de marché et à la consommation massive des vins de cépage. On a ainsi observé, dans le monde, un passage du vin mystère – souvent issu d'un assemblage de plusieurs cépages – au vin sorti de la misère. Dans les années quatre-vingt, en effet, les vins de cépage ont commencé à remplacer les vins de table et à apporter une garantie de goût au consommateur.

Doit-on se satisfaire de l'avancée de la science ? Certainement pas en ce qui concerne la vigne. Il se trouve que l'on cultive cette plante en France depuis vingt-quatre siècles et que cette tradition séculaire a accompagné nos civilisations. Le vin, dans sa dimension spirituelle, touche au sacré. Depuis Dionysos, il est le symbole de la convivialité, de l'échange, de la célébration et des rituels. Il doit donc garder sa dimension symbolique, ce qui ne doit pas pour autant lui ôter sa fonction désaltérante.

Les méfaits liés à la standardisation du goût, les impacts de la chimie sur l'ensemble de la chaîne alimentaire et sur la qualité de l'eau doivent éveiller nos consciences et nous inciter à agir pour laisser à nos enfants une planète en meilleure santé que celle que nous avons reçue.

Les étapes que nous avons traversées durant le siècle écoulé ont été utiles, nécessaires, et ont permis une avancée significative, liée à l'émergence d'une classe moyenne plutôt urbaine et sédentaire, nécessitant des besoins accrus en produits transformés.

Le principal progrès de la viticulture, garanti par l'utilisation maîtrisée du soufre, a été la conservation du vin en bouteille. Les vins se transportent facilement et contribuent à véhiculer le patrimoine, la richesse et la diversité d'un pays. Le potentiel de vieillissement des grands vins nous oblige à l'exemplarité. Nous devons, ainsi que le souligne Rudolf Steiner, prendre soin de la fertilité des sols et veiller au respect de l'environnement immédiat, ainsi qu'à l'entretien des paysages.

Nous ne devons pas accepter que l'agriculture remplace la paysannerie. Ce serait une régression. Un paysan s'occupe aussi des paysages ; il fait de son domaine une entité, une unité de vie. Un agriculteur se limite aux affaires agricoles et un viticulteur à ses vignes. Ce n'est pas suffisant. Comment peut-il oublier que la biodiversité est la garante des équilibres, parfois subtils, de son environnement, de son écosystème. Prendre soin du monde des insectes, de la vie animale et microbienne dans le sol est une absolue nécessité. Ce soin garantit la fertilité, l'équilibre de la plante, sa durée de vie, ainsi que son potentiel qualitatif. Il n'est pas nécessaire d'avoir passé cinq années sur les bancs de l'université pour observer ces équilibres. Il faut laisser le bon sens s'appliquer et avoir la volonté de résister au conformisme ambiant et à la norme doctrinaire

Comme l'agriculture doit nourrir la planète, la pression pour produire une alimentation garantie et sans rupture est au cœur du modèle sociétal actuel. Il est donc nécessaire d'engager des processus de mutation agricole évitant toute faille dans l'approvisionnement de la population, en développant les filières alternatives – en particulier les produits biologiques et sans OGM –, en incitant les consommateurs à se nourrir plus souvent de produits de saison et en limitant la consommation de viande, très consommatrice en eau et en céréales.

Le vin n'est plus un produit de première nécessité. Nous sommes passés, durant les trente dernières années, du vin aliment au vin plaisir. Dans les pays producteurs de vin, la consommation a baissé, et elle augmente progressivement ailleurs. Au cours des dix prochaines années, on produira du vin dans pratiquement tous les pays du monde – ce qui est une chance pour l'humanité, car le vin, consommé avec modération, peut éveiller la conscience, favoriser le lien social, la vie en communauté et, parfois, un élan spirituel.

Le temps est venu de cesser de courir vers le techniquement correct, et de créer de nouveaux référentiels liés au goût, au respect des différences. Il existe six mille cépages dans le monde et le consommateur courant en connaît moins de dix. Il reste donc du chemin à parcourir. La vigne a la capacité de donner le meilleur d'elle-même si l'homme respecte l'adéquation suivante : sol, climat, cépage. Il ne sert donc à rien de généraliser les plantations de chardonnay ou de cabernet sauvignon, pour ne citer que les plus connus. Il vaut mieux se référer dans chaque pays au répertoire des cépages traditionnels existants, éprouvés et garantissant une typicité, une originalité qui fera le succès à long terme de la viticulture locale, offrira d'autres choix au consommateur et ainsi, au producteur, une valorisation déconnectée du marché mondial. Cette démarche doit s'inscrire impérativement dans la durée et cibler les communautés les plus éduquées, en particulier les *wine lovers*, les grands amateurs de vins.

Je milite également pour une prise de conscience liée au respect des sols et des sous-sols, des cours d'eau, des biotopes et des paysages. La viticulture ne produisant pas un aliment de base, elle se doit d'être exemplaire dans sa façon de respecter notre planète. Son potentiel de croissance, la complexité des marchés, la montée qualitative des besoins des clients constituent une formidable chance que notre profession doit saisir. La mutation technique des trente dernières années a été profitable à la filière vin. Celle-ci doit s'inventer maintenant un nouvel avenir à la hauteur de son énorme potentiel et dans le respect de nos ancêtres, qui ont souvent servi de relais silencieux en toute modestie, mais en pleine conscience.

J'oserai comparer le mouvement actuel du boire mieux, plus authentique, doté de davantage de sens et de respect de l'histoire, avec l'évolution récente de la physique et notamment la découverte du boson de Higgs, qui agite la communauté scientifique, ouvrant de nouvelles perspectives et de nouvelles voies. Steiner par la biodynamie, Planck pour la mécanique quantique ont tous les deux, au début du XXe siècle, ouvert une brèche fondamentale. Cent années plus tard et dans les temps à venir, ces génies visionnaires continueront certainement à nourrir nos esprits pour créer une nouvelle ère. J'ai été intrigué par la puissance de leur pensée, de leurs sentiments, de leur force de conviction. Le fait de s'être affranchi, pour le premier, des « avancées » agricoles liées à l'utilisation de la potasse comme engrais et, pour le second, d'avoir introduit la constante de Planck (h) et la constante de Boltzmann (k) en même temps que la notion des quanta, incite au plus grand respect. L'intention de Steiner était de faire prendre conscience aux agriculteurs, dans son livre publié en 1929, de la démarche holistique de leur action. En neuf conférences, il a fixé non seulement les fondements de leur travail mais aussi, pratiquement, toutes leurs applications quotidiennes.

Il m'est apparu clairement que l'intention pure, le potentiel non réalisé devaient être le moteur de l'action. Au Clos d'Ora, notre volonté a été de partir d'une intention liée à un monde nouveau où régneraient la paix, l'amour et l'harmonie, d'adapter ce message à nos méthodes culturales, à notre façon d'être, et de vivre ainsi notre profession de foi.

L'ancienne bergerie en ruine qui se trouvait sur le terrain a été reconstruite pierre à pierre par mon ami Jean-Luc Piquemal, avec les conseils avisés de l'architecte Jean-Frédéric Luscher. Au-dessus du chai et du cuvier, et naturellement intégré à ceux-ci, nous avons bâti un espace d'accueil dédié à la méditation et à la contemplation. Dans les vignobles du domaine, nous avons logiquement expérimenté, puis adopté la traction animale. L'utilisation de chevaux et de mulets renforce les équilibres et les interconnexions entre les règnes minéral, végétal, animal et humain. Le cheval, animal symbolique, accomplit un travail précis d'ouverture des sols pendant les labours. Contrairement au tracteur, il ne tasse pas les sols, sauvegardant la vie microbienne, l'oxygénation et la pénétration des forces astrales dans le sol et le sous-sol de la vigne ; tout cela, la plante le reçoit et en bénéficie en tant qu'information mais aussi comme signe d'amour. C'est un processus paradoxal, d'une grande complexité mais aussi d'une grande simplicité. Par ailleurs, le non-recours à la traction mécanique améliore considérablement le bilan carbone du domaine.

Ce vin a donc une personnalité unique, reposant sur la révélation d'un grand terroir d'altitude composé à dominante d'argiles pour les cépages carignan et mourvèdre, de marnes pour le grenache et de calcaire pour la syrah. Il est situé dans un site exceptionnel, harmonisé par des méthodes culturales connectées à la nature dans sa dimension universelle. La biodynamie, la traction animale, l'esprit quantique partagé par l'équipe dédiée aux travaux sur ce domaine nous ont permis de produire un divin nectar.

Chaque bouteille du Clos d'Ora, distribuée sur tous les continents, porte en elle le goût du fruit de l'Amour.

14

Le vin quantique

En pleine conscience

J'ai découvert récemment la mécanique quantique[1], ses fondements révélés par Planck, ainsi que ses applications sur le développement personnel. Les écrits d'Étienne Klein, de Sven Ortoli, de Stephen Hawking ou de Vadim Zeland m'ont initié à cette discipline et à ses applications dans la vie humaine. Toutefois, n'étant pas physicien et n'ayant pas la volonté de devenir un expert dans cette matière, j'ai préféré chercher comment ces nouvelles portes ouvertes pouvaient faire évoluer ma profession et donner un sens plus profond à mon action.

La théorie du chat de Schrödinger, la prise en considération de l'influence qu'exerce l'observateur sur le phénomène observé, l'état binaire des choses et des êtres nous ouvrent des horizons inconnus, une nouvelle voie, et modifient nos pensées. Au-delà de l'atome, il y a l'onde, puis les photons. On entre ici dans le monde vibratoire, qui nous invite à aller plus loin dans la compréhension du macrocosme et du microcosme.

Tout est vibratoire. Dans le corps humain, chaque organe possède une fréquence qui lui est propre. L'homme est constitué de soixante-quinze à quatre-vingts pour cent d'eau. Si les travaux de Jacques

1. Max Planck.

Benveniste sur la mémoire de l'eau ont été longtemps contredits et décriés, la reprise du processus de recherche par le professeur Luc Montagnier, prix Nobel de médecine et découvreur du virus du sida, renforce la légitimité des résultats de ce docteur avant-gardiste. De nombreuses expérimentations ont abouti à la conclusion que l'eau avait une mémoire. Le vin, lui aussi, est constitué de quatre-vingt-cinq pour cent d'eau. Il devrait donc avoir aussi une mémoire.

Le vin est un breuvage multidimensionnel. Ma volonté, à ce stade, n'est pas de le démontrer de manière scientifique, mais d'affirmer qu'il porte en lui des informations liées au goût des cépages, à leur typicité, ainsi qu'au terroir dont il est issu. La fréquence vibratoire du vigneron, son état de conscience imprègnent également les produits aux différents stades de son évolution, depuis sa conception au moment des vendanges jusqu'à la mise en bouteille.

Ma démarche singulière consiste à ressentir, penser, conceptualiser un vin avant de récolter les fruits, puis, au moment des vendanges, à me laisser guider par mon intuition afin de prendre les bonnes décisions. Il faut pour cela se connecter à la nature, être en harmonie avec elle, éprouver un sentiment de paix et de plénitude. On touche ici au monde du vivant, du sensible et du suprasensible. La dégustation de baies tout au long du mois de septembre me fournit les informations sur le niveau de maturité des raisins et sur son potentiel qualitatif. La date de récolte dépend essentiellement de cet exercice, que j'aime partager avec mes équipes. Les analyses faites en laboratoire nous servent uniquement de balise. Les milliards de levures, pendant la fermentation, vont transformer les sucres du raisin en alcool. Ce sont des êtres vivants, dont l'action permet de fixer les caractéristiques de chaque cépage.

L'originalité du vin, son potentiel de vieillissement, sa connexion avec le sol et le sous-sol ont aiguisé ma volonté de rechercher une nouvelle voie dans le respect des préceptes de Rudolf Steiner, mais en dépassant la pratique de la culture en biodynamie : aller plus loin par l'influence de la pensée, par la connexion de l'âme et de l'esprit en résonance avec le produit.

C'est le quatrième niveau, celui du message, qui permet par la source de l'intention de révéler le meilleur d'un territoire, accordé à une conscience et à un champ vibratoire. Le « connaissant » pourra ainsi ressentir l'âme du vin. Cette ouverture vers une lecture plus précise nécessite une expérience dans la dégustation, une compréhension de son environnement et un élan spirituel.

Le paysan est un être méditant. Il a acquis avec sagesse une certaine philosophie de la vie et une connaissance du sens profond des êtres et des choses lui donnant la force et la capacité d'utiliser le ressenti au lieu de l'intellect. Il connecte de façon innée son esprit à son âme, donc sa conscience à son inconscient, afin d'obtenir les réponses clairvoyantes à ses divers problèmes physiques, terrestres et métaphysiques. Il dégage une force intérieure, un savoir-faire, une énergie communicative ne passant pas toujours par le verbe mais obligatoirement par l'exemple. La vie au grand air lui permet également de réguler son existence sur les cycles des astres, de prendre conscience de leur influence, notamment de celle de la Lune, et de laisser les saisons et les climats rythmer ses gestes.

Steiner a également insisté sur l'influence qu'exerce l'azote, en particulier celui de l'air, sur l'imagination et la méditation. L'approche quantique me semble, en ce sens, très complémentaire de l'approche steinerienne.

L'équilibre mental et la méditation apportent à l'homme une certaine harmonie dans sa vie quotidienne, limitant l'angoisse et la peur, sentiments déterminés par des désirs égotiques. La joie et le bonheur profonds sont accessibles à ceux qui ont un niveau de conscience élevé, une bonne compréhension de l'Univers, et vivent dans l'acceptation de la nature divine, d'une organisation supérieure, régulatrice et harmonieuse.

Il me paraît important pour l'homme actuel de se débarrasser de son égoïsme et de son égocentrisme en s'ouvrant à ses semblables et à la vie spirituelle. L'histoire de notre civilisation nous a appris que des êtres éveillés et incarnés dans leur dimension terrestre – Moïse, le Bouddha, Socrate, Jésus ou Mahomet – ont été les artisans d'un message, d'une sagesse, d'une aspiration à une croyance, à une certaine forme de verticalité, de transcendance. Modestement, l'homme par ses méditations et ses prières utilise les enseignements de ces maîtres pour soigner ses angoisses et ressentir la pulsation cosmique de l'Univers.

Nous devrions tous rechercher le bonheur et la joie. La réalité est tout autre : l'homme souffre parfois de névroses et de dépression ; il se fixe ses propres limites, par crainte, par conformisme et par soif de sécurité. Il a parfois tendance à se comporter comme un mouton et à vivre par procuration, sans tenir compte de ses aspirations propres, sans même les rechercher, ni découvrir sa singularité.

Il est certainement plus facile de se plaindre de ses problèmes et d'en attribuer la responsabilité aux autres que de vivre sa propre vie, pleine de surprises, de découvertes, de créativité. Une prise de conscience et un éveil sont nécessaires pour susciter le courage, la volonté d'exister et d'affirmer son véritable moi. La liberté, la métamorphose passent par la rupture, l'abandon de ce qui nous aliène, nous retient dans le conformisme, la fausse sécurité. La première étape consiste à oser faire connaissance avec soi-même, lever le couvercle reposant sur notre nature profonde, libérer notre esprit et prendre rendez-vous avec soi-même. Il faut pour cela commencer à distinguer les angoisses des convictions profondes, les unes étant produites par la pensée, les autres provenant de l'âme. Le conscient fabrique, par la pensée de l'esprit, les peurs et les joies. L'inconscient ressent l'amour, la haine, les émotions. Seule l'âme arrive à se connecter au champ de conscience universel, ce qui lui procure librement les informations sous forme d'intuition, de prémonition ou de prédiction.

Nous avons souhaité créer au Clos d'Ora un vin d'inspiration quantique, donc unique par nature, relié à l'Univers, rattaché à son terroir d'origine et portant un message multidimensionnel de paix, d'amour et d'harmonie.

Afin de vérifier la pertinence de notre travail et la qualité informationnelle de ce vin, j'ai éprouvé le besoin de vérifier le bien-fondé de cette quête initiatique. J'ai rencontré, par l'entregent de mon ami Jean-Louis Gavard, Georges Vieilledent dont la spécialité est de travailler sur les énergies et les champs informationnels en utilisant des techniques avant-gardistes (voir p. XVII-XXIV) et j'ai été enthousiasmé par la qualité des premières images. Il s'agit là de l'expression du vin, à la fois superbe et émouvante, exprimant les intentions qui me guidaient au moment de la création et de l'incarnation du projet du Clos d'Ora. La première expression provenant de ces photos, c'est la manifestation de la vie, éclatante de beauté, flamboyante, dans un rayonnement lumineux et étincelant. L'organisation de la structure, plus riche et précise pour le Clos d'Ora, le développement solaire tant en organisation qu'en surface montre une dynamique, une logique universelle propre au vivant en pleine expression. Le rayonnement du Clos d'Ora donne tout son sens au travail et à l'attention, tant physique qu'émotionnelle et spirituelle, portée à la culture de la vigne et à l'élevage du vin. On est touché par l'universalité du message qui s'en dégage, par la puissance qui apparaît à la fois simple et incontournable. Beauté, délicatesse, lumière et transcendance ressortent de l'ensemble avec le sentiment évident, profond et ineffable de toucher au sacré.

J'ai ressenti ce besoin de créer cet assemblage subtil des cépages grenache, syrah, mourvèdre et carignan – profondément enracinés dans le sud de la France –, provenant de la spécificité de ce terroir exceptionnel, de la culture en biodynamie et des germes d'un rêve. Mon désir est de relier le goût à la beauté, le terroir au message, les sens à l'information, celle provenant de la matrice universelle. Passer de l'infiniment grand à l'infiniment petit, des fins fonds du cosmos à l'atome et maintenant au boson de Higgs, remonter jusqu'au big-bang afin d'essayer de comprendre le processus de la Création et de l'extension de l'Univers nous incite à la plus grande humilité et donne aux chercheurs le courage de nous aider à prendre conscience de la nature humaine, de sa profondeur, de son potentiel, dans les limites de notre incarnation.

Le vin peut aider l'homme à sublimer ses besoins vitaux – boire, manger, respirer, se mouvoir – en tendant vers une vie plus enrichissante et complexe, tournée vers plus de spiritualité. Il représente une forme de transmutation, car il véhicule les arômes des fruits, le goût du terroir, l'âme du lieu et la perfection de la Création. Depuis Dionysos jusqu'à nos jours, il a toujours été prisé.

Le vin quantique, au-delà de ses qualités intrinsèques, du processus très rigoureux de vinification et d'élevage, de l'art de l'assemblage et de la culture en biodynamie, délivre une onde, une vibration, une résonance et un message : celui de la paix du cœur et de l'esprit. L'amour nous guide, car il est responsable de notre puissance créatrice et il incarne la perfection de l'Univers. Nous avons donc en toute connaissance de cause à chaque étape – depuis la taille de la vigne jusqu'à la mise en bouteille en passant par les vendanges, l'élevage et l'assemblage – laissé ce sentiment universel nous apporter la sagesse et la force nécessaires pour nous orienter dans la bonne direction, portés par des vibrations harmonieuses.

Il nous a fallu du courage et beaucoup de travail pour nous rapprocher de cet objectif précis, né d'un songe que j'ai transformé en désir puis en objectif. Quinze années ont été nécessaires pour réaliser ce potentiel et révéler, dans ce lieu propice à la méditation, un environnement favorable à l'avènement de ce vin.

La culture en biodynamie, liée au développement quantique, nous a aidés à créer ce produit en harmonie totale avec la nature. La cave vinicole, connectée à l'extérieur par ses cuves en plein air, favorise la rencontre entre les forces cosmiques et les forces telluriques, optimisant ainsi la fermentation des raisins. L'élevage dans le chai prend des allures mystérieuses et prolonge ce sentiment de plénitude, suscitant les échanges, les vibrations entre les différents éléments, ainsi qu'une lente maturation des tanins.

L'assemblage est une étape fondamentale dans la réalisation et l'accomplissement de l'œuvre. Il a été précédé par une vinification naturelle, respectant l'essence du fruit et la spécificité du millésime. C'est le moment déterminant, celui qui va fixer le potentiel du vin. Le choix de la date de récolte, en fonction du niveau de maturité nécessaire, a permis d'extraire la quintessence des cépages et d'obtenir un état sanitaire parfait ainsi qu'une bonne réactivité des tanins, conditions favorables à l'élevage et au vieillissement. Pour cela, il est impératif d'avoir un bon niveau d'appréciation des conditions atmosphériques en fonction de la climatologie de l'année et de pouvoir faire une analyse précise du comportement des raisins et de l'évolution de la vigne. Il faut enfin avoir l'intuition qui déclenchera le processus d'intervention. Il s'agit là d'une mécanique de précision.

Une fois les échantillons de chaque cépage provenant des huit parcelles posés sur la table du dégustoir commence un long processus où le temps se met en apesanteur et où l'espace se comprime ou se dilate en fonction des vibrations, des sensations éprouvées. Créer un vin, c'est partir à l'aventure. Cela nécessite d'abord une ascèse, une complicité, une harmonie entre les participants, tendus vers le même objectif : créer un chef-d'œuvre.

Il en va du vin comme de l'art. Dieu nous a créés à son image en nous donnant la liberté de choisir, mais aussi de penser et de nous accomplir, en réalisant ce qu'il y a de meilleur, de plus beau. Le bonheur, la joie, l'amour, la créativité ne sont pas réservés à quelques-uns mais nous tendent la main. Après une première dégustation des huit vins, dans un silence monastique, on prend d'abord conscience de l'importance du moment.

L'étape suivante consiste à hiérarchiser la qualité de chaque vin, cépage par cépage, et de réfléchir à leur complémentarité. À ce moment précis, chacun va, pendant une ou deux heures, essayer de réaliser son assemblage, sans aucune restriction ni limite de volume. L'échantillon du maître de chai, du directeur technique et le mien seront ensuite versés chacun dans un verre puis dégustés par tous, sous couvert d'anonymat. Les premiers commentaires permettront d'évaluer le travail de chacun puis la qualité des produits. Après une seconde dégustation et prise de notes, l'anonymat est levé ; on étudie les similitudes et les divergences afin d'affiner la trajectoire. Il s'agit d'un travail minutieux où chaque détail, chaque élément doit être pris en considération : la nature d'un assemblage peut être modifiée par une quantité infinitésimale. On entre ici dans l'ordre du subtil, mais aussi dans une phase où l'on doit laisser son âme se connecter avec son esprit afin de pouvoir valider les intuitions. Nous sommes guidés par le désir d'excellence. Il n'y a pas de dimension égotique dans cet exercice, juste une volonté exacerbée de donner le meilleur de soi, de tirer la quintessence de chaque vin et surtout de réaliser le potentiel du terroir, en harmonie avec l'énergie du lieu.

Le premier millésime est toujours le plus difficile, car en plus de vouloir réaliser le meilleur vin possible, nous avons la responsabilité de révéler son caractère, celui qui le suivra millésime après millésime. Nous allons finaliser un premier assemblage après trois à quatre heures de dégustation. À la fin de celle-ci, nous dégusterons le produit de notre travail, ne devant pas être celui d'un consensus mais de l'unanimité. Pendant le déjeuner, nous goûterons le vin, afin de le mettre en résonance avec des mets appropriés et de tester les alliances. Un vin rouge n'est pas élaboré pour être dégusté mais pour être bu dans cinq ans, dix ans, vingt ans ou plus tard : il est donc fondamental de le boire en mangeant. Il est très rare que la première séance aboutisse à l'accord parfait, à l'harmonie d'ensemble. Une deuxième, troisième ou parfois quatrième séance sera donc nécessaire afin d'affiner les proportions, goûter à nouveau les vins en tenant compte du calendrier lunaire et de l'influence des planètes sur le comportement de chaque cépage.

Lorsque nous avons réussi à définir la trame du vin, son expression et son caractère, il ne nous reste plus qu'à ajuster le volume final de chaque composante par une forme de révélation. Cet état ne se met pas en équation. C'est une inspiration, qui aboutit à l'harmonie parfaite. Au prix de beaucoup de travail, de méthodologie et surtout d'une recherche intérieure, nous parvenons à élaborer le vin tant désiré. Celui-ci va passer un cycle minimal de douze mois en fûts de chêne français provenant des meilleures forêts de haute futaie. Au bout de ce temps de maturation, chaque fût sera dégusté individuellement. Par la magie de l'élevage, liée à la complexité de l'interaction des tannins du vin et de ceux du chêne, chaque barrique aura sa propre personnalité, marquant de légères différences. Si le travail a été bien réalisé, le tout sera supérieur à la somme des parties et l'assemblage de tous les fûts délivrera plus de complexité et d'élégance que chacun pris isolément. Il faudra alors le laisser se reposer quelques semaines en cuve avant d'obtenir les conditions atmosphériques optimales pour la mise en bouteille, qui doit avoir lieu uniquement un jour fruit du calendrier lunaire. Parfois, un léger collage aux blancs d'œufs d'origine biologique sera nécessaire pour affiner la texture du vin. Ce n'est jamais systématique, chaque millésime apportant sa vérité. Enfin, nous laisserons le vin vieillir quelques mois en bouteille avant de commencer à le proposer à nos clients.

Chaque millésime possède un potentiel de vieillissement différent, mais le Clos d'Ora est un vin de longue garde. L'assemblage de ce vin est la résultante du champ infini de toutes les possibilités, alliant une dimension organoleptique, un message de paix, d'amour et d'harmonie, et la révélation d'un terroir d'exception. Ce vin, résultat d'un voyage initiatique, a été conçu, imaginé, pensé, ressenti avec un sentiment de liberté, par la grâce de Dieu.

15

Le cantique des quantiques

Pour un monde meilleur

Le livre de l'Ancien Testament intitulé *Le Cantique des cantiques* est une ode à l'amour. On y retrouve, à l'évidence, une dimension charnelle, sensuelle, liant un homme à une femme. Ce texte symbolise à mes yeux l'incarnation humaine avec sa transcendance, le besoin viscéral d'amour sous toutes ses formes – charnel, tactile, spirituel –, mais aussi celui de la nature, l'hommage aux fruits de la vigne. Cet élan est nécessaire dans la construction du soi et la relation avec l'autre. Il est intéressant d'y relever l'analogie entre le baiser et la consommation de vin.

Le vin est un breuvage sacré. Le raisin, après transmutation, devient un produit divin. La création étant parfaite, on peut par déduction considérer que Dieu est partout, au-delà de toute croyance et de toute religion. L'Univers est infini, et nous essayons, grâce aux découvertes successives de nos physiciens et de nos scientifiques, d'explorer toujours plus à l'extérieur et à l'intérieur de nous-mêmes. Ces voyages sont fascinants. Les recherches d'hommes tels que Léonard de Vinci, Copernic, Galilée, Freud, Einstein et Planck ont également permis de résoudre des questions essentielles liées à notre évolution et à nos comportements.

Planck, avec la découverte de la physique quantique, nous a apporté une compréhension plus large du Tout, de l'Univers et de chacune de ses particules. Sven Ortoli et Jean-Pierre Pharabod, dans leur livre *Le Cantique des quantiques*, orientent la réflexion sur notre rôle dans l'Univers. « Ce qui fait la temporalité du temps, écrit Étienne Klein, c'est qu'il passe, ce qui le distingue de l'espace. Le futur devient du présent et du passé. C'est cette succession que l'on appelle le temps. » J'ai toujours eu la sensation de donner une autre définition au temps en créant un vin équilibré, symbiose du terroir et des cépages. Cette définition se fonde sur une alchimie liée au millésime et donc à son caractère unique, ainsi qu'à son potentiel futur dont on ne peut connaître qu'une infime partie.

Nous contribuons tous ensemble à la naissance d'un nouveau monde, lié aux récentes découvertes et à l'avènement d'Internet. Nous vivons une accélération exponentielle de l'information sous toutes ses formes. Tous nos repères séculaires sont en train d'exploser. D'après les physiciens, l'Univers depuis le big-bang est en expansion constante. Cela nous fascine et nous inquiète, car se poser les questions sans avoir toutes les réponses ou toute la compréhension nécessaire procure un sentiment d'angoisse. Mais quelle chance de pouvoir vivre une période aussi exceptionnelle que celle que nous vivons aujourd'hui ! Nous écrivons un nouveau chapitre de l'humanité. Certains appellent cela une ouverture temporelle, ou la fin d'un cycle et le début d'un nouveau. Il faut cependant être très vigilant, dans le tourbillon actuel, sur l'éducation de nos enfants et des générations futures afin qu'elles n'oublient pas l'essentiel. Il est crucial que l'être humain ne perde pas de vue son incarnation, son accès à la transcendance, sa trinité : le corps, l'âme et l'esprit.

J'ai souhaité, modestement, mettre en exergue le lien entre les textes sacrés bibliques et le monde quantique, car le vin me paraît être le fluide conducteur, qui porte en lui la charge affective, émotionnelle et informationnelle permettant en toute simplicité d'unir les hommes. Certes, il ne remplit pas le rôle nourricier du blé, du riz ou de l'eau, éléments de base de notre alimentation et de notre survie. Mais il va plus loin ! Il peut, en étant consommé avec modération, allumer en nous une flamme, créer un élan de générosité, de partage, d'échange, de tolérance, qualités essentielles à la vie en communauté. Dans la tradition juive et chrétienne, il est un produit élevé et transcendé.

Tous nos grands vins ont été créés dans cette dynamique. Il suffit de prendre conscience de la perfection de la Création, de chasser la peur de nos cœurs et de nous nourrir de l'amour universel pour faire basculer nos vies et celle de nos proches dans un monde meilleur, aux possibilités infinies.

Certains trouveront peut-être cette démarche utopique, voire extravagante. J'ai toujours souhaité devenir un homme libre, pouvant chaque jour donner un sens à ma vie avec un minimum de contrainte et un maximum de bonheur. C'est un long processus spirituel, et je suis sur le chemin, en train de marcher. J'aperçois cependant une lueur d'espoir dans ce monde qui change et crée beaucoup plus de chances pour les hommes qu'aucune période n'en avait créées auparavant. Il faut rester positif, conscient de ces changements, et ouvert à un avenir meilleur. Si chacun se donne la main, dans la paix, l'amour et l'harmonie, nous serons heureux de vivre : la générosité et le bonheur seront nos nouveaux repères.

II

LES PROPRIÉTÉS

16

Domaine de Villemajou

Transmettre son savoir

La transmission n'a pas de prix. Qu'il s'agisse de savoir-faire ou de savoir être, transmettre est le plus beau des cadeaux qu'un parent puisse faire à son enfant. Travail, patience, amour. Le reste vient de surcroît.

« Tu en as de la chance de faire tes premières vendanges à dix ans ! » me dit mon père. Il ajoute, rêveur : « Tu te rends compte ? Moi, j'ai attendu d'avoir vingt-cinq ans pour vinifier. » Non, je ne me rends pas compte. Tout ce dont j'ai conscience, c'est qu'il faut travailler. Et dur. De 5 heures du matin à 13 heures les deux mois d'été. Sur les soixante hectares du domaine familial. Dur, certes, mais quels souvenirs !

Je suis heureux parce qu'il y a une certaine liberté à être dans les vignes avec ma sœur Guylaine, voir le soleil se lever, parcourir des kilomètres dans la journée en participant à ce travail collectif, chaleureux et familial. Avec, dans les rôles principaux pour le gamin que je suis, mon père – chef incontesté – et ma mère Geneviève qui dirige les équipes : c'est elle, la *mousseigne*, la première coupeuse selon le terme languedocien, celle qui va le plus vite et qui donne la cadence durant les vendanges.

Le soir, nous nous réunissons en famille chez ma grand-mère, Paule. Elle a élevé seule neuf enfants, avec ses quarante kilos de volonté et son travail incessant, son mari – propriétaire de deux hectares et demi de vignes – étant décédé en 1948. Une vraie matriarche, née le 1er janvier 1900 et traversant le siècle avec vaillance, courage et surtout beaucoup d'amour à donner. Elle est le socle de la famille. Ses enfants (dont sept vivent au village), leurs conjoints, les quarante petits-enfants forment une vraie tribu. Quelques années plus tard, alors qu'elle n'est plus de ce monde, je la canonise à ma manière en lui dédiant un vin, le domaine Sainte-Paule.

À l'heure des vendanges, je respecte la décision paternelle de m'envoyer trois semaines à la cave de Villemajou pour vinifier le nouveau millésime sans tenir compte du calendrier scolaire ou des matchs de rugby. Deux fois par semaine, je m'entraîne avec lui le soir, à la nuit tombée. Nous courons sur les routes des Corbières, guidés par la lueur de la lune. Souvent, après la journée de travail, je rentre à la maison en courant. Le samedi, je quitte la cave après le déjeuner pour aller jouer avec mon équipe à Narbonne. Dès le coup de sifflet, je reviens en auto-stop et me fais déposer au domaine pour finir mes tâches.

Je suis responsable du pressurage des raisins et je veille au respect des programmes, différents en fonction des cépages. Le matériel est assez rudimentaire et les cycles sont régulés manuellement, me donnant l'impression de jouer un rôle de première importance. Je prends cette responsabilité avec beaucoup de sérieux, et je suis au fond de moi très fier que mon père me confie cette mission. Parfois, les derniers tours de vis m'imposent une visite tardive à la cave vers 22 heures. J'ai maintenant seize ans et je commence à conduire, sans permis, sur les petites routes, à cette heure avancée de la nuit où l'on ne croise que des lapins et des sangliers. Épris de liberté et réfractaire au conformisme, je pars à la tombée de la nuit faire « ma ronde », laissant la fenêtre de la portière ouverte pour pouvoir respirer au grand air. C'est ma façon à moi de me sentir vivant et d'expérimenter ce qui était naguère interdit. Un soir, par négligence, je me retrouve dans le fossé. Après avoir miraculeusement remis la voiture sur la route, je commets l'erreur de rentrer à la maison les pneus crevés et en finissant sur la jante. Dès l'arrivée, la voiture prend feu, je panique et j'appelle mon oncle à l'aide. Le mal est fait, la voiture est consumée. Je monte me coucher seul, car mes parents dînent à l'extérieur. Le lendemain et les jours qui suivirent, mon père ne dit rien. Peut-être se sentait-il responsable de m'avoir laissé utiliser la vieille 4L – ou plus certainement pensait-il en son for intérieur que la leçon de vie reçue suffisait et qu'il ne servait à rien d'en rajouter.

Je profite de la pause entre 13 et 14 heures pour aller dans les vignes goûter les raisins et vérifier leur maturité. Je suis fasciné par les ceps tortueux de carignan et de grenache. Quand on goûte ces raisins, dès la première bouchée, il se passe quelque chose de différent, certainement lié à l'empreinte du terroir. Les peaux sont fermes, la pulpe dense et la texture plus harmonieuse. Parfois le soir avant de rentrer, j'éprouve le besoin de suivre le petit ruisseau longeant le domaine et d´emprunter les chemins de traverse jusqu'au village. Je ne veux pas croiser de voitures et je préfère voir la lune entamer son cycle ascendant. Quand les nuages s'invitent à la danse, le ciel prend des allures mystiques, le pouls s'accélère et on croit parfois deviner une présence malveillante, une ombre menaçante.

Le terroir de Villemajou berce mes souvenirs d'enfance et d'adolescence. Je comprends maintenant la dimension affective qu'un vigneron peut ressentir pour son vignoble. Situées sur la commune de Boutenac, nos vignes sont au cœur de l'appellation d'origine Corbières. Ses caractéristiques principales reposent sur des sols homogènes du quaternaire, composés d'éboulis calcaire datant du miocène. Les galets roulés restituent la nuit la chaleur emmagasinée pendant la journée. Le paysage alentour est fait de collines à pente douce couvertes d'une végétation de pinèdes (*pineda*). Nous protégeons avec beaucoup d'attention et de respect les vieux cépages traditionnels. Afin d'améliorer la complexité du vin, mon père décide dans les années quatre-vingt de planter de la syrah et du mourvèdre.

Je propose à mes amis vignerons, au début des années deux mille, de déposer un dossier auprès de l'Institut national des appellations d'origine (INAO) afin d'aboutir à la reconnaissance du cru Boutenac. Au bout de quatre années d'échanges et de travaux, nous avons reçu en 2005 la commission d'enquête, validant la spécificité du terroir et la qualité de nos vins.

Villemajou, c'est le mètre étalon, le baromètre de nos vins. Il ne ressemble à aucun autre, tirant sa force et son originalité de cette alchimie unissant un sol particulier, un climat aride et des cépages méridionaux. Le premier millésime a été mis en bouteille en 1973. Son étiquette dorée a souvent été décriée par les experts. Combien de fois m'a-t-on dit « Tu devrais la changer, la moderniser » ! Aujourd'hui, quarante ans plus tard, elle est devenue iconique et tout le monde la reconnaît. Le domaine de Villemajou fait partie des classiques, des vins indémodables. Je suis fier de prolonger cette tradition et de continuer cette belle histoire en traçant mon sillon dans la continuité de mon père. C'est pourquoi j'aime ce vin comme un cadeau que le destin m'a fait. Un trait d'union entre le passé, le présent et l'avenir.

17

Domaine de Cigalus

Habiter la terre et la respecter

Habiter la terre et la respecter, c'est la moindre des choses. La qualité de la vie en dépend ; elle est mon guide, ma quête.

Avril 1995, un vendredi après-midi. Les explications de l'agent immobilier sont claires et je me retrouve, au détour d'un chemin, devant une grande maison n'ayant pas reçu de soins depuis longtemps. Alentour, quelques bâtiments eux aussi en piètre état. Et puis des hectares de vignes, également quelque peu délaissées, plantées sur cette petite vallée bordée de massifs que je connais bien. Au loin, je distingue le château médiéval de Saint-Martin-de-Tocques, culminant à soixante mètres d'altitude – édifice racheté il y a cinq ans par un particulier, et à présent rénové. Évidemment, j'ai l'habitude de le voir sous un autre angle, car il est situé exactement au nord-est de mon village natal, Saint-André-de-Roquelongue. La propriété que je suis en train de visiter n'est éloignée de ma commune de naissance que de quelques petits kilomètres... cinq, en fait !

En marchant dans les vignes, je retrouve tout naturellement mes sensations familières. Ce climat plus sec ici que près de la mer, ce contact presque charnel avec la terre battue par les vents et le soleil, et cette proximité avec l'abbaye de Fontfroide et sa sœur cadette, Notre-Dame-de-Gaussan, toutes deux si proches, me ramènent à mes valeurs spirituelles et à mon amour de l'histoire.

J'arpente les pièces de la maison. Je visite la cave. Je contemple le paysage et me laisse prendre par la sérénité du vignoble. Je tombe sous le charme des bâtisses malgré leur état. Il me faudra une minute pour avoir le coup de cœur. Et après, combien de temps pour imaginer la famille que je n'ai pas encore mais que j'ai tellement envie de créer avec Ingrid, ma fiancée à cette époque. Le lundi matin, à la première heure, je me porte acquéreur du domaine. C'est le début d'une véritable métamorphose des lieux et surtout de ma vie. Au bout d'un an de travaux, ma femme et moi, nous y habitons enfin. En 1998, la petite Emma nous rejoint. Son frère, Mathias, naît en 2000. Le domaine de Cigalus devient le berceau de ma nouvelle famille. Et puis l'envie très forte de créer un vin différent à partir de ce terroir me stimule. D'autant que je viens de découvrir une nouvelle façon de cultiver la terre et les cépages sans produits phytosanitaires, dans le respect le plus absolu de la nature, en biodynamie.

J'ai souvent constaté ces miracles quotidiens que produisent sur ma santé des doses infinitésimales prescrites par mon médecin homéopathe. Il a bouleversé ma vie en me soignant avec précision et en renforçant mes défenses immunitaires. J'ai compris que chaque personne est unique, comme chaque terroir est singulier. Je ne sais plus exactement quand ma conviction à propos de mon corps s'est étendue à la terre. Je crois que cela remonte à la naissance de mes enfants. J'ai peu à peu franchi une étape supplémentaire dans ma conscience de l'environnement, et j'ai eu envie de voir mes petits grandir dans un lieu qui leur ressemble. Est-ce parce que j'ai moi-même vécu, enfant, dans un milieu naturel ? Est-ce parce que l'évolution vers toujours plus de produits phytosanitaires et les dérives d'une nourriture saturée de formules chimiques ne me conviennent pas, voire m'inquiètent ? Cette propension à utiliser trop d'énergie et de moyens pour un résultat qui pourrait être tout aussi excellent avec tellement moins de dépenses... L'homéopathie, à ce titre, est en accord complet avec mon mode de vie et ma philosophie.

Il existe une homéopathie de la terre : la biodynamie. Il m'aura suffi de dépasser le cadre de mon corps pour embrasser celui de mon environnement. Enfin, il s'agit de donner à la terre ce dont elle a besoin au moment où elle en a besoin. Peu après avoir acheté le domaine de Cigalus, je décide de garder les vieilles vignes des cépages merlot, cabernet sauvignon, cabernet franc, caladoc, syrah, carignan, mourvèdre et grenache, et je plante les terres en friche de cépages blancs : chardonnay, sauvignon et viognier avec pour ambition de produire un vin atypique. Ainsi, quelques années plus tard, le mariage des trois cépages blancs m'apparaît assez prometteur. Le nouveau mode cultural que nous appliquons va nous permettre assez vite de créer des vins d'exception à Cigalus.

La culture en biodynamie façonne des vins blancs rafraîchissants et équilibrés, dotés de bouquets floraux légers et subtils et d'une grande minéralité. Les rouges développent complexité, élégance et rondeur. Quant à la terre, elle est plus meuble et plus facile à travailler. Les animaux petits et grands reviennent, ainsi que les herbes dont sept variétés différentes coexistent aujourd'hui, sans dommage pour les vignes.

À Cigalus, on communie avec la terre, on se ressource.

18

Château Laville-Bertrou

Savoir goûter le vin

Savoir goûter un vin, c'est comme savoir apprécier la vie. C'est un art qui conduit à réaliser son idéal.

En me promenant dans les vignes, je me connecte avec le terroir en touchant le sol et en le sentant. C'est une excellente façon de capter le sel de la terre. Il y a la roche – calcaire, schisteuse, argileuse –, la sécheresse, la rosée du matin, ou bien le vent, humide s'il vient de la mer, sec s'il arrive de l'intérieur. Puis les ceps, leurs sarments et ce qui pousse autour – le thym, le romarin, le genêt, les mûriers, les cistes, mais aussi les pins, les chênes, le laurier et tant d'autres essences. De ces éléments chaque fois présents en proportion variable, le terroir révèle son goût inimitable. Il y a aussi le lieu lui-même, des coteaux plantés depuis longtemps ; des terrains en pente douce ou plus abrupte, situés au sud et à l'est du village et une église dont les cloches marquent le temps et appellent au rassemblement. Celle-ci est très particulière, car elle domine le village disposé en forme de circulade autour du château Laville, dont notre vin tire son origine.

Les vignerons de la Livinière, fédérés dans les années quatre-vingt-dix par Maurice Piccinini, ont fait preuve d'un talent exceptionnel pour valoriser leur patrimoine. Je remercie également la famille Bertrou, en particulier Nicole et Jean, qui sont devenus mes amis. Ils m'ont demandé conseil en 1997 et m'ont fait peu à peu entrer dans le capital de leur propriété. Étant occupés par ailleurs, ils désiraient n'en garder qu'une part symbolique, par attachement à la mémoire de leur père. J'aime que l'étendard de cette famille flotte toujours sur ce domaine, rendant hommage à Paul Bertrou, le patriarche.

Il y a, enfin, ce village, bâti en cercle, comme un escargot dont la coquille s'enroulerait autour du château Laville-Bertrou. Il protège ses abords, entouré de maisons en pierre sèche du Minervois et de ruelles sinueuses se prolongeant en chemins montant sur le petit causse et plus loin, vers la montagne Noire. Elle est la présence tutélaire du village et des coteaux. Son ombre formidable plane sur le paysage, lui conférant sa grandeur, le gratifiant d'un climat unique, aux nuits fraîches.

Cette fraîcheur palpable favorise la croissance des feuilles de vigne. Carignan, grenache, syrah et mourvèdre se partagent les faveurs de cette terre, sur des parcelles réparties entre les coteaux et les terrasses. Elles seront chacune vendangées, mises en cuve et vinifiées séparément, comme autant de pierres précieuses destinées à former un pur joyau. Cette connaissance est le fruit de ce que j'ai vécu, senti, aimé et rêvé sur ce terroir. La Livinière, c'est le royaume de la syrah, car les nuits fraîches délivrent un goût très fruité et épicé. Si on l'assemble avec parcimonie avec les cépages grenache et mourvèdre et, les années chaudes seulement, avec le carignan, on obtient un vin de race et de caractère. Quand je me promène sur le causse au-dessus du village, l'émotion souvent me submerge.

« Le vin, c'est la nature élevée à la dignité de sacrement », a écrit Paul Claudel. C'est exactement ce que je ressens à présent. De la matière à l'esprit, il y a ce long chemin dans lequel nous nous sommes engagés tous ensemble, mais aussi la poésie des vins du château Laville-Bertrou.

19

Château L'Hospitalet

Partager l'art de vivre

Sans partage, nulle existence n'est possible. Plus on donne de rayonnement à sa vie, mieux on peut en faire bénéficier les autres.

Jacques Ribourel, célèbre promoteur et propriétaire du château L'Hospitalet, me lance un regard. Assis face à face en ce jour lumineux de février 2002, nous nous jaugeons comme deux joueurs de rugby qui s'apprêtent à s'affronter. Or j'ai bien l'impression qu'il s'amuse de ma surprise. En fait, il me propose de lui acheter L'Hospitalet et me confie qu'il est temps pour lui de se consacrer à autre chose : « Vous êtes jeune, entreprenant, vous appartenez à cette terre : vous saurez reprendre ce que j'ai créé, le mettre en valeur et probablement le dépasser. Et puis, la vigne, c'est votre métier. Ce n'est pas le mien. » À l'entendre, on dirait que je me suis porté acquéreur et que l'affaire est déjà faite. Ce qui est loin d'être le cas.

Quelques heures plus tôt, je déjeune tranquillement avec ma famille, à mille lieues d'imaginer qu'un homme que je ne connais que de réputation va me mettre tout à coup dans une étrange situation, d'un simple coup de téléphone. À quinze kilomètres de Narbonne, au cœur du parc naturel régional de la Narbonnaise, dans le site protégé du massif de la Clape, se nichent des corps de bâtiments dont certains remontent au XVIe siècle. Alentour, mille hectares, dont soixante de vignes. Juste derrière la colline qui domine le vignoble, la mer. Un ensemble magnifique. Qui, dans le pays, ne connaît pas le château L'Hospitalet, ainsi que son histoire récente – son rachat en 1991 par cet homme qui créa aussi un pôle de tourisme œnologique de première qualité.

Ce jour-là, après le mystérieux coup de téléphone, mille questions se bousculent dans ma tête alors que je suis au volant de ma voiture sur la belle route sinueuse qui va de Narbonne au château L'Hospitalet, bordée de pins, de garrigue, de vignes et de roches calcaires. J'arrive à l'embranchement de la petite route qui descend vers l'entrée du domaine. Le chemin ondule à travers les vignes. Je reconnais des cépages familiers, entre autres syrah et mourvèdre. Je gare la voiture et je pénètre dans une première cour où j'aperçois une « miellerie », un magasin de produits du terroir, et l'entrée d'un musée dédié à la faune et à la flore locales. Je franchis le portail ouvert et me retrouve dans la cour principale, bordée à gauche de bâtiments, occupés par une galerie et une verrerie. À droite, deux restaurants, et en face de moi l'architecture de ce qui est devenu un hôtel il y a quelques années. Quel ensemble ! Je suis en admiration : quiconque s'aventure sur le domaine se retrouve aussitôt au sein d'une atmosphère à la fois ludique et accueillante.

Je suis déjà venu ici il y a peu de temps. J'avais envie de voir ce qui pouvait être fait autour du vin. Si surprenant que cela puisse paraître, il y a vingt-cinq siècles, cette avancée de terre sur laquelle est construit L'Hospitalet, en deuxième ligne face à la mer, était... une île phénicienne. Qui plus est, on considère ce lieu comme le « berceau de la vigne » en France, puisqu'elle y a toujours été cultivée. Je me demande à quoi ressemblaient ces ceps-là, plantés de guingois, l'alignement des vignes n'ayant été réalisé dans notre pays qu'à partir du XVIIe siècle. Quoi qu'il en soit, au XIIIe siècle, la propriété a appartenu aux hospices de Narbonne puis, au XVIe siècle, à l'hôpital de Saint-Just. Tout en conservant toujours le vin en arrière-plan... Cette idée d'un lieu qui s'est transformé, et dont la vocation la plus récente est d'apporter la guérison et la santé, me plaît bien. Je suis perdu dans mes pensées, quand une femme d'un certain âge vient vers moi et me propose de rejoindre M. Ribourel au restaurant.

Embrassant du regard la cour depuis ma table, je suis une fois de plus frappé par ce qui se déploie sous mes yeux. Le vin en est l'élément central : les vignes, les chais, les cuves, la dégustation, la vente au détail et son univers sensoriel. Gustatif, visuel, olfactif, rien ne semble avoir été oublié. Jusqu'à l'hospitalité, avec l'hôtel et les restaurants. Rien ? Je ne crois pas avoir entendu de musique. Dommage.

On respire l'art de vivre et la douceur méditerranéenne dans ce lieu magique. En me rappelant la visite des chais, je frissonne. Pas au souvenir de la fraîcheur de cette cave magnifique, mais plutôt en me remémorant les sensations que j'ai éprouvées dans l'immense chai à barriques aux allures sacrées. Certains murs, je m'en souviens, suintent l'eau d'une source cachée. Oui, il existe aussi un mystère à L'Hospitalet, et l'évocation de ce moment me ramène aux côtés de mon père, tout près de ses paroles : « Le vin est la quintessence de l'art de vivre », disait-il souvent. Enfant, je ne comprenais pas cette phrase. À présent elle me paraît évidente. Le lieu se nomme, de surcroît, *L'Hospitalet*. En Languedoc, le vin est symbole d'hospitalité, la première vertu de l'art de vivre.

Dès le Moyen Âge, on honore les invités à leur arrivée et à leur départ, mais aussi durant les banquets où l'on boit très peu en mangeant, mais beaucoup pour porter des toasts aux convives, en début et en fin de repas. On se passe alors la coupe de vin selon un rituel hérité de l'Antiquité gréco-latine. « Il faut la recevoir avec gratitude de son voisin, la tenir à deux mains, boire peu pour éviter de s'enivrer et tendre la coupe à son autre voisin d'une seule main, sans la souiller de son pouce. Il ne faut pas adresser la parole à l'homme qui boit. » Le roi, pour sa part, se fait apporter le gobelet une fois rincé par l'échanson qui l'a, au préalable, goûté. On appelle ce rite « vin d'honneur ». Les rois de France offrent aux invités leur vin blanc, « aussi clair que les larmes du Christ ». Une fois le repas consommé, ils font placer dans les chambres des convives, en même temps que les douceurs, des vins sucrés dont les plus précieux proviennent souvent de Frontignan. Ils sont servis dans des carafes de cristal au bouchon de verre scellé.

Des siècles ont passé, et cette coutume des vins d'honneur perdure, notamment pour les mariages. Offrir son meilleur vin aux invités reste un signe fort d'hospitalité. « Soyez sévère pour votre propre vin, à cause du plaisir que vous désirez faire aux autres, et indulgent pour le vin d'autrui parce que c'est un ami qui vous le verse », écrivait Maurice Constantin-Weyer dans *L'Âme du vin*. Autour de moi, à présent, c'est l'heure de l'apéritif. Quelques clients dégustent le vin du cru, accompagné d'une assiette de saucisson. Et soudain, je me dis que si un jour j'ai la chance d'être propriétaire de ce domaine, je pourrai alors faire perdurer ces traditions d'art de vivre méditerranéen, les magnifier, les porter au firmament.

On m'appelle. Je sors de mes pensées, repousse ma chaise et salue un homme d'une soixantaine d'années, au sourire communicatif, au teint hâlé, respirant force et énergie. Je lui serre la main et lui lance : « Vous êtes un visionnaire ! »

Après les tractations d'usage, le 1er avril 2002, je deviens le nouveau propriétaire. J'y installe le siège social de ma société et décide de suivre les traces novatrices de son ancien propriétaire, en m'organisant pour aller un peu plus loin. J'ajuste. Je façonne. Je parachève. Des arbres, de la lavande, des rosiers sont plantés ici et là. Mon but, à cette époque, est de faire rayonner les vins du Sud et de développer mes activités. En réalité, il est en train de m'arriver quelque chose d'extraordinaire, que je n'avais fait qu'entrevoir en acquérant le domaine : la rencontre avec les visiteurs. Ma perception change radicalement. Je réfléchis à tout ce qui peut la sublimer, l'accompagner, donner envie aux gens de revenir, les rendre curieux. Offrir du plaisir, tout simplement. Régaler les yeux, le palais et le cœur.

Conséquence de cette prise de conscience, je demande à un bureau d'architectes de modifier l'atmosphère des chambres et je confie à ma femme Ingrid le soin de les concevoir toutes différentes. Chacune porte le nom d'un de mes domaines et se trouve en résonance avec les couleurs de chaque terroir. Sur la table, une bouteille de ce même vin est offerte, flanquée de deux verres afin de prolonger l'expérience. L'art fait aussi partie de l'aventure. Mon ami d'enfance Olivier Domin, qui, depuis, a acquis une renommée internationale sous la signature Olll, s'installe dans un des locaux de la première cour et peint de grands tableaux, dont certains pour promouvoir les vins. Quant au restaurant, rénové, il offre une farandole de vins au verre, permettant de goûter l'ensemble de nos crus. Je suis heureux en entrant dans cette salle et en voyant une tablée de convives autour d'un plat de saison, un verre de vin à la main. Je sens cette chaleur de la Méditerranée envahir les assiettes avec les produits de la mer, les légumes frais de notre potager ou l'agneau du pays cathare.

Un soir où je déambule autour des bâtiments et où les rêves se font soudain plus présents, je suis frappé par une forme de silence et je prends conscience de ce qu'il manque. La musique, précisément. Non pas la mélodie harmonieuse du vent s'engouffrant dans la cour du domaine, mais celle, langoureuse, d'une « bulle de jazz », chère au Toulousain Claude Nougaro.

20

Domaine de l'Aigle

Se remettre en question

Dans notre profession, se remettre en question est indispensable. Cela passe parfois par la découverte d'un nouveau territoire à explorer et à comprendre afin d'en tirer la quintessence.

Les vignerons de la haute vallée de l'Aude ont longtemps considéré que leur terroir n'était pas adapté à la production de vins de qualité. Autrefois, ces coteaux pentus aux alentours de Roquetaillade, à une dizaine de kilomètres de Limoux, ne portaient pas le même nom. Et les vignes y étaient plus rares. Sur ce terroir d'altitude, les vignerons cultivaient des cépages typiquement méditerranéens, tels que le carignan ou l'aramon, mal adaptés à ce climat continental. De sorte qu'ils n'étaient pas fiers de leur vin. Mais le soir, un peu avant la tombée de la nuit, ils aimaient regarder les aigles voler juste au-dessus des cimes les plus hautes de la région, celles qui dominent leur vignoble.

Un jour, dans les années quatre-vingt, une coopérative – les caves Sieur d'Arques – décida, avec le soutien de la chambre d'agriculture du département, de faire des analyses sur les sols de ces coteaux. Celles-ci révélèrent une étrange richesse. À contre-courant des idées reçues, le sol semble receler une composition favorable à l'introduction de cépages inhabituels dans ce pays. La terre, en définitive, n'est pas si ingrate, on en a maintenant la preuve scientifique : il ne reste plus qu'à y planter les cépages appropriés. Les vignerons locaux changent leurs méthodes culturelles et prennent conscience que, peut-être, ils ont sous-estimé ce sol.

C'est alors qu'arrive un homme avant-gardiste. Champenoise, sa famille cultive la vigne depuis des générations, mais Jean-Louis Denois n'a pas voulu s'installer dans les chaumières bien établies. Il est parti sous d'autres cieux, en Australie, en Amérique du Sud et en Afrique du Sud. Il s'est ouvert l'esprit, au contact des vignerons du Nouveau Monde. De retour en France, il s'installe à Roquetaillade avec l'intention de mettre en pratique ce qu'il a appris. En 1989, Denois achète la propriété la plus élevée du village et la baptise « le domaine de l'Aigle ». Lui aussi, il aime contempler le couple d'aigles ayant élu domicile dans les parages, près des bois, dans la fraîcheur d'un massif plus pyrénéen que méditerranéen. Leur vol majestueux réjouit le cœur et fait honneur à la nature préservée des alentours. Jean-Louis Denois, fidèle à ses intuitions, arrache beaucoup d'anciennes vignes et plante du chardonnay, un cépage de vin blanc – gros sarments, petites grappes, grains dorés – que l'on retrouve en Bourgogne, en Champagne et même pas très loin d'ici, puisqu'il entre dans l'élaboration du crémant de Limoux. Mais à Roquetaillade, on pouvait se demander comment il allait évoluer. Le jeune vigneron se lance et son premier millésime est une réussite. Il produit peu, mais du très bon. La critique lui fait honneur. Il décide d'aller encore plus loin en plantant une variété qui deviendra, quelques années plus tard, immensément célèbre aux États-Unis grâce à *Sideways*, un film étonnant sur deux copains en vadrouille en Californie. Ce cépage noble, dont sont issus les plus grands crus de Bourgogne, a été magnifié par les moines de l'abbaye de Citeaux au XIe siècle – petites grappes compactes, grains d'un noir bleuté, jus incolore : c'est le pinot noir. Denois réussit une fois de plus son pari et produit un vin très délicat. Ensuite, assez paradoxalement, il vend son domaine.

L'entreprise Antonin Rodet, négociants et producteurs de vins depuis 1875, le rachète. Cette maison prestigieuse, leader sur son marché de la côte châlonnaise, s'intéresse beaucoup au domaine de l'Aigle. Cependant, au bout de quelques années, le groupe se rend compte qu'il vaut mieux se recentrer sur sa région d'origine. Le domaine est à nouveau prêt à changer de propriétaire, et, un peu comme pour L'Hospitalet, on me passe un coup de fil pour me demander si je suis intéressé. *A priori*, je ne suis pas acheteur, et pourtant... Une fois encore, après avoir visité les lieux, je tombe sous le charme. Le village magnifique avec ses belles maisons anciennes, le paysage très vallonné, coloré, à la fois pittoresque et paisible, tout concourt à me faire sentir ici chez moi. Je rencontre le régisseur du domaine, Vincent Charleux, passionné par son travail, et nous discutons. Après une visite des vingt-cinq hectares de vignes tirés au cordeau, nous goûtons les vins.

Nous sommes en 2006. Le domaine est prêt pour un nouveau défi, cela se sent : je me rends compte, en escaladant le coteau vers la cime, qu'il est possible de tirer la quintessence de ce vignoble arrivé à maturité. En inspectant les cuves et les installations, modernes, très bien conçues sur le modèle bourguignon, je sens à ma portée une nouvelle aventure passionnante : expérimenter la culture et la vinification du pinot noir et du chardonnay à cette altitude va me permettre d'élargir à la fois mon champ d'action et mes compétences. Prenant la suite de tous les propriétaires qui l'ont progressivement bonifié et sorti de l'oubli, je suis prêt à porter le domaine plus haut et plus loin en nous fixant l'objectif de rivaliser avec les grands chardonnays et pinots du monde. En 2007, enfin, nous devenons propriétaires. Commence alors la dynamique de précision ; à chaque décision prise, nous nous demandons si elle sera à la hauteur de nos espérances. Il n'est pas facile de défier ses propres connaissances en les confrontant à des pratiques inconnues. Tout ce que j'entreprends au domaine de l'Aigle a ce goût d'incertitude. En premier lieu, il faut que je me familiarise avec ce nouveau cépage.

Le pinot noir est délicat, fragile, tout en subtilité, à la fois féminin et masculin : il est le yin et le yang. Travailler le pinot noir sur un terroir d'altitude est un vrai régal car il retrouve ses affinités écologiques, ses exigences et ses conditions climatiques de fraîcheur continentale. Mon ambition est de dépasser l'apprentissage : je veux brûler les étapes et souhaite que ce cépage puisse exprimer le terroir en adéquation avec son caractère et son origine. Charles Rousseau, l'un des plus grands experts du pinot noir à Gevrey-Chambertin, m'explique comment le vendanger et me dit : « Tu sais, Gérard, le pinot, quand tu le mets en bouche, il faut qu'il pique un peu. » Par conséquent, contrairement à la syrah ou au grenache, il ne faut pas attendre sa pleine maturité mais au contraire garder une légère fraîcheur qui lui donnera son caractère.

Un an plus tard, en 2008, nous décidons, mes collaborateurs et moi-même, de nous mettre à l'épreuve et de participer au Mondial du pinot noir, concours international ayant lieu chaque année en Suisse. Plus de mille vins entrent en lice, dégustés par un panel de dégustateurs mondialement reconnus. Envoi d'échantillons, attente et… surprise ! Devant les pinots noirs de tous les pays, le millésime 2007 du domaine de l'Aigle gagne la plus haute distinction, le Grand Or. Nous avons produit l'un des meilleurs pinots noirs !

Ce jour-là, heureux et ému, je me rends au domaine et je gravis le chemin jusqu'au petit étang qui délimite un des côtés du vignoble. Mon regard se porte vers le ciel, où les aigles planent en chasse. Mon cœur se gonfle de gratitude pour ce terroir et pour cette reconnaissance internationale, balayant les doutes. Notre prise de risque a porté son fruit et nous sommes sur la bonne voie.

21

Château Aigues-Vives

Les quatre éléments

Les paysages du Languedoc sont rythmés par les vignobles, la garrigue, les cours d'eau, les abbayes et les châteaux. Plus mystérieusement, certaines sources marquent un territoire de leur empreinte. C'est ainsi que deux abbayes ont été baptisées Fontfroide et Fontcaude, ce qui signifie « fontaine froide » et « fontaine chaude », donnant une dimension sacrée à l'eau. Celle-ci est essentielle à la vie, mais a été reléguée au rang d'un simple besoin alors qu'elle entre dans la composition même de la Terre et des hommes. On oublie également qu'un tiers de la population mondiale souffre d'un manque d'eau potable.

L'eau est un constituant essentiel du vin. Elle est toujours magnifiée dans la culture en biodynamie, car elle est dynamisée et donc chargée en énergie cosmique par la pratique du vortex[1], permettant de pulvériser les préparations à base de plantes plusieurs fois par an dans les vignes. L'eau et le vin possèdent un champ vibratoire et une fréquence plus ou moins importante. On peut donc parler de l'onde du vin.

Aigues vives signifie « eaux vives ». Une eau vive est une eau dynamisée. Il faut faire l'expérience de boire l'eau d'une bouteille en plastique et l'eau d'un ruisseau pour se rendre compte qu'une

1. Voir p. 89.

seule gorgée de la seconde étanche la soif, alors qu'un litre de la première sera nécessaire pour un résultat inférieur. Nous avons effectivement pu découvrir de nombreuses sources au château, que nous avons racheté en 2010.

La famille Barsalou avait géré ce domaine dans l'esprit des vignerons des Corbières. Le négociant bordelais Dourthe en a fait l'acquisition dans les années quatre-vingt-dix, rénovant les vignes et les chais avec précision et savoir-faire. L'éloignement et la pesanteur des volumes à vendre ont eu raison de leur engagement. Nous sommes très heureux de pouvoir bénéficier de ce travail préparatoire très bien pensé, et notre savoir-faire lié à la proximité du domaine de Villemajou a facilité la définition des vins du château.

Nous sommes sur les meilleurs terroirs du cru Boutenac, au cœur des Corbières. Les sols sont des terrasses de l'ère quaternaire dont les silex procurent au vin beaucoup de minéralité. L'assemblage des vieux carignans, de la syrah, du grenache et du mourvèdre révèle le potentiel et l'originalité du château Aigues-Vives. Après avoir rénové le cuvier, dont les cuves en enfilade rappellent la tradition des chais du sud de la France, nous élevons les vins dans le spectaculaire chai à barriques. Créé à la fin des années quatre-vingt-dix, jouxtant la cave de vinification, il possède la théâtralité architecturale des châteaux bordelais. Les barriques, à perte de vue, dessinent une perspective.

L'âme de ce lieu dégage une force et une harmonie apaisantes. Dans le parc du domaine poussent des arbres centenaires, en particulier des pins majestueux et un peuplier de vingt-cinq mètres de hauteur, traçant une perspective et cultivant notre humilité. La nouvelle organisation des abords du château redéfinit les contours de l'entité viticole et lui confère une dimension à la hauteur du tempérament de son terroir et de ses produits.

Le caractère des vins du château Aigues-Vives est différent de celui de Villemajou, bien que les deux soient voisins. Il révèle plus de fraîcheur et de fruité, alors que Villemajou est un peu plus suave et racé. L'alchimie de l'assemblage et la proportion des cépages nous amènent dans deux univers différents. Nous faisons émerger la personnalité de ce domaine en révélant son essence et sa typicité.

22

Château La Sauvageonne

Se connecter avec la nature

Le Larzac évoque pour moi le combat des paysans éleveurs contre l'annexion du plateau à des fins militaires. Ce combat, dont José Bové était une des figures de proue, a laissé une empreinte forte dans cette région. J'ai pu m'en rendre compte en effectuant, au début des années quatre-vingt, un stage de spéléologie dans la région de Millau avec ma sœur Guylaine.

Le Larzac est une belle région, sauvage, étendue, aride, favorisant l'élevage en plein air des brebis, dont le lait permet l'élaboration du fameux roquefort, un trésor national dans la diversité des fromages français. Plus au sud, le terroir prend le nom de Terrasses du Larzac. Lodève, Saint-Jean-de-la-Blaquière, Saint-Félix-de-Lodez, le lac du Salagou le délimitent, lui donnant sa force et son caractère. J'ai été frappé, à ma première visite, par la force abrupte des paysages, les couleurs contrastées des sols et l'harmonie de la nature.

M. Brown, l'ancien propriétaire au flegme tout britannique, a poursuivi l'œuvre entreprise par M. Poncé, qui fut le premier à révéler le potentiel de ce château en créant deux cuvées correspondant à deux terroirs différents. L'un d'eux est composé de ruffes – terres volcaniques rouges dont la couleur change avec la lumière du soleil. J'ai demandé à mon ami Yann Arthus-Bertrand de photographier ces paysages contrastés aux couleurs lunaires. Ces sols confèrent une grande minéralité aux vins produits, en particulier pour la syrah et le grenache. Une pluie au mois d'août est toujours providentielle, car ces terres peuvent souffrir de la chaleur et de la sécheresse estivale.

Le lac du Salagou, créé dans les années soixante, est un hommage au génie humain. Cette grande étendue d'eau est une ode à la beauté et à la biodiversité ; elle sublime la nature et lui donne un caractère étrange, lié aux reflets que projette l'eau sur ces sols volcaniques. À quelques mètres de là, sur les hauteurs, les schistes marquent leur différence. Ces sols très adaptés à la vigne se caractérisent par des amas de cailloux, souvent de petites tailles, mais généralement rectangulaires. Comme ils ont la particularité d'être phonolitiques, avec un peu d'imagination, nous pourrions envisager de donner un concert de schistes. Ayant observé pendant deux ans le comportement des vins sur chaque terroir, nous décidons de créer un grand vin rouge en assemblant les deux types de provenance, car ils sont compatibles et surtout complémentaires. Avoir réussi à marier pour le meilleur deux types de vin aux caractéristiques différentes est une bénédiction.

De manière plus confidentielle, nous produisons aussi un excellent vin blanc provenant uniquement des terroirs schisteux et issu des cépages vermentino, roussanne, grenache blanc et viognier. Enfin, nous utilisons la fraîcheur du cinsault, alliée à l'élégance du grenache, pour élaborer un rosé de caractère, précis et minéral.

M. Brown a eu l'heureuse idée de bâtir une merveilleuse maison de maître au style unique au-dessus de la cave et des chais. Il désirait construire une villa en altitude afin de bénéficier d'une vue surplombant le domaine. Un soir, il appelle sa fille, architecte à Los Angeles, pour lui demander ses services. La légende dit que, n'ayant pas le temps de s'occuper du projet de son papa et ne souhaitant pas faire plusieurs déplacements pour superviser la construction, elle lui aurait envoyé les plans de la villa de la star hollywoodienne Joan Collins, en lui conseillant de bâtir la même. Les pierres utilisées pour monter les arcades sont issues de notre terroir, l'honneur est sauf ! Nous sommes toujours émerveillés de partager la beauté de ce lieu avec nos convives autour d'une bonne table et des vins du château. Le temps s'arrête.

Dernièrement, alors que nous buvons un verre de vin blanc au bord de la piscine, nous recevons une étrange visite. Un vautour fauve de deux mètres trente-cinq d'envergure vient s'échouer devant nous. Après un moment de stupéfaction, nous nous empressons de le sortir de l'eau pour lui éviter la noyade. Vu la taille de l'oiseau, ce n'est pas facile. Une fois sauvé, il s'endort pendant deux heures avant l'arrivée de la Société protectrice des oiseaux qui se chargera de l'alimenter pendant deux mois avant qu'il reprenne son envol. Ces moments de grâce nous poussent à nous interroger sur le sens de notre action et consolident notre volonté de préserver la biodiversité sur l'ensemble de nos territoires, en nous rappelant que la nature est notre patrimoine et l'avenir de l'humanité.

23

Château La Soujeole

Sublimer son existence

Lorsqu'on quitte la route nationale entre Carcassonne et Limoux, sur la droite, après quelques virages, le château La Soujeole apparaît en contrebas, à quelques encablures du village de Montclar. Parfois, le temps se met en apesanteur et nous ramène à des questions plus existentielles. Quel est le sens de notre vie ? Quel chemin doit-on suivre pour être fidèle à sa propre légende, à son être profond, en faisant abstraction de la pesanteur de notre société, des tentations de l'ego ou simplement des ballottements de notre esprit ? Le calme et le silence nous ramènent à un état de conscience favorisant la clairvoyance, renforcent nos convictions et nos priorités, révèlent la voie à suivre.

J'ai rencontré monseigneur de La Soujeole il y a plus de dix ans. Il s'occupe du domaine familial en plus de ses fonctions ecclésiastiques, de son magistère et de son engagement auprès de la nonciature apostolique. La relation qu'il entretient avec la campagne, les vignes, les vins de sa propriété est pour cet homme d'Église une mission supplémentaire qui le ramène à la temporalité, au rythme des saisons, à l'effervescence des sentiments et des états d'âme du vigneron, parfois éloignés de la célébration du culte. En rencontrant sa maman Marie-Antoinette, je perçois les véritables raisons de son attachement viscéral à ce château imprégné d'une histoire familiale attachante. Cette dame, âgée de quatre-vingt-douze printemps, m'impressionne par son dynamisme, sa vitalité et son sens du contact humain. Elle cultive une certaine forme de pensée positive lui permettant de défier le temps qui passe. Ses sens sont en éveil, sa vue, son ouïe sont aiguisées, son esprit est d'une vivacité rare. Son fils Bertrand partage avec cette dame une partie de son temps au domaine.

Quand monseigneur me propose de reprendre en main les destinées du vignoble dont j'ai commercialisé une partie des vins pendant quelques années, j'effectue d'abord avec mon directeur des domaines une visite approfondie du territoire. Je comprends, ce jour-là, l'âme du terroir de la Malepère, cette région dont le nom signifie « mauvaise pierre », bien que ces pierres aient servi à bâtir partiellement la cité de Carcassonne. Les paysages sont vallonnés et pittoresques. Le climat se trouve au confluent des influences méditerranéennes et océaniques, garantissant la fraîcheur nécessaire et la maturité de tous les cépages.

J'ai toujours beaucoup aimé le cabernet franc pour son originalité, sa structure et sa finesse. Quand on l'assemble au merlot et au malbec, on découvre un vin complexe et délicat, dont l'équilibre révèle très tôt les arômes des fruits et garantit à l'élevage une lente évolution, qui est la marque des grands crus. En limitant les rendements, on a pu obtenir au château La Soujeole un vin de grande classe. L'exposition des différentes parcelles permet d'étaler les vendanges sur plusieurs semaines et de révéler ainsi le meilleur de chaque cépage.

Entre Narbonne et Limoux, le département de l'Aude nous fait passer en une heure d'un climat semi-aride à un climat océanique, et d'une végétation de plantes aromatiques (thym, romarin, lavande) à des arbres de haute futaie. On ressent dans les vins du château La Soujeole la fraîcheur, la densité du terroir et l'alchimie suscitée par l'assemblage des cépages cabernet-franc, malbec et merlot.

La Malepère est également le vignoble le plus proche de Castelnaudary, capitale mondiale du cassoulet, un des plats favoris des Français. Je suis depuis toujours un grand amateur de ce mets composé de haricots blancs, de confit d'oie ou de canard, d'abats et de saucisse de Toulouse – un ingrédient qui le relie à la capitale historique de l'Occitanie. Trois chefs se distinguent dans l'art de cette recette culte de la gastronomie régionale. Au restaurant le *Comte Roger*, dans la cité de Carcassonne, Pierre Mesa est le seul à proposer une recette mêlant les confits d'oie et de canard. Partager cette tradition culinaire au sein même de cette citadelle renforce mes liens avec les racines de la civilisation languedocienne. J'aime aussi beaucoup le style classique et traditionnel du cassoulet de Jean-Claude Rodriguez au *Château Saint-Martin*, ainsi que son engagement dans la promotion de ce plat séculaire à travers la Confrérie du cassoulet. Enfin, j'ai un attachement particulier pour mon ami André Pachon, le roi du cassoulet à Tokyo, qui a réussi à faire partager notre art de vivre à la famille impériale du Japon. Les vins de la Malepère et du château La Soujeole sont d'excellents compagnons de table du cassoulet, mais ils se marient également très bien aux mets les plus délicats de la cuisine française, notamment ceux à base de bœuf.

Je suis heureux de participer au développement de l'image de cette appellation en France et dans le monde. Contribuer à révéler l'ambition d'un territoire, à créer un nouvel espace dans la galaxie des vins premiums français pour un terroir encore méconnu mais riche en potentiel, a quelque chose d'exaltant.

24

Château des Karantes

Célébrer la Méditerranée

Situé sur la commune de Narbonne-Plage, face à la Méditerranée, au cœur du parc naturel de la Narbonnaise sur le territoire de la Clape, le château des Karantes est un havre de nature préservé. Il doit son nom à son ancien propriétaire, qui fut évêque de Carcassonne.

La famille Knysz, originaire de Detroit, dans le Michigan, a acheté ce domaine au début des années deux mille afin de vivre une aventure viticole dans le sud de la France, créant ainsi un lien naturel avec les *wine lovers* américains. Walter Knysz, sa femme Janet et ses fils Walter et Jason dédient leur passion à cette propriété magnifique, située sur le terroir de la Clape, dans une enclave protégée, entourée d'une barrière rocheuse la protégeant du vent du nord. Dans les vallons, les quarante-trois hectares de vignes s'étendent sur des sols argilo-calcaires caractérisant la typicité des vins de la Clape, très réputés pour leurs vins blancs ou rouges.

Les blancs sont issus en majorité du cépage local dominant, le bourboulenc, au cycle végétatif long et aux caractéristiques très marquées. Avec un complément de grenache, de roussanne, de vermentino et de terret blanc, planté en 1927, l'assemblage devient original et subtil. La minéralité liée au terroir calcaire renforce sa fraîcheur et son potentiel de garde. Son caractère iodé et fruité constitue le trait d'union avec les vins rouges du domaine, issus du mariage traditionnel syrah, grenache, mourvèdre et carignan.

La proximité avec le château L'Hospitalet et la rencontre décisive avec Walter nous ont amenés à unir nos destinées afin de donner un nouveau souffle au château des Karantes et de travailler à l'élaboration d'un vin de haut niveau. Je suis impressionné par la puissance de ce site protégé et motivé par la volonté de la famille Knysz de me confier la responsabilité de porter plus haut et plus loin son rayonnement. Une visite approfondie du vignoble et de ses abords, où la roche calcaire se mêle à la garrigue méditerranéenne, renforce ma volonté d'élaborer des vins du même niveau que ceux du château L'Hospitalet. Nous allons tout mettre en œuvre pour révéler l'essence de ce terroir surplombant les longues plages de sable fin de Narbonne-Plage et de Saint-Pierre-la-Mer. Prochainement, nous réaménagerons les bâtiments afin de créer un lieu d'accueil pour les amoureux de nature et de biodiversité.

Ici, il est plus facile de comprendre pourquoi les Romains décidèrent de faire de la province appelée Narbonnaise, entourant Narbo Martius, la première fille de Rome. L'on saisit mieux la continuité de notre patrimoine culturel et historique. L'insularité de la Clape renforce le caractère unique de son biotope, de sa faune, de sa flore, mais aussi de sa destinée tournée vers l'accueil et l'art de vivre. Nous avons pris la décision de cultiver le domaine en agriculture biodynamique, en conformité avec notre philosophie, afin de renforcer la typicité et le caractère unique de ses vins. C'est un nouveau défi pour nos équipes techniques, et un nouvel élan visant à renforcer notre empreinte dans l'appellation La Clape.

Je suis heureux de partager l'aventure collective de cette appellation d'origine protégée avec les vignerons des châteaux Rouquette-sur-Mer, d'Angles, Moujan, Mire-l'Étang, Capitoul, les Monges, La Negly, Camplazens, Tarailhan, Pech-Redon et Mas du Soleilla, mes plus proches voisins, et avec tous les autres qui contribuent à la reconnaissance de cette terre qui nous oblige à l'excellence.

L'histoire se répète et la conquête du cœur des amoureux de notre patrimoine nous tend les mains. Tous unis par la même ambition, nous participerons au renouveau du Languedoc et serons les dignes héritiers des conquérants romains, qui nous ont reliés avec les peuples de notre Méditerranée chérie.

III

LES PARCELLES

25

La Forge

Donner du sens à sa vie

Donner du sens à son existence, à son travail, à ses actes, c'est le premier précepte, le moteur. Il peut suffire d'un mot pour le mettre en marche, mais parfois, il faut du temps pour prendre conscience de ce qui nous tient à cœur.

Octobre 1997. À bord du vol Paris-Montpellier venant d'atterrir, je sais enfin comment je vais m'y prendre. Cela fait dix ans que je cherche. Souvent, quand j'avais un moment de calme, ou avant de m'endormir, je tournais et retournais cette question dans ma tête : comment rendre hommage à mon père ? Dans l'avion, les pensées sont libres de s'exprimer, d'avancer au gré du ciel, pendant que les corps, assis et suspendus, se reposent. Depuis quelques minutes, je regarde l'aile de la carlingue survoler les nuages. Je me sens bien. Mes pensées commencent à prendre forme. Chaque mois d'octobre est pour moi l'occasion d'un bilan. J'ai suivi le chemin tracé par mon père. Tout d'abord, je me suis engagé à fond dans ma passion pour le vin : culture, élevage – depuis les vendanges jusqu'à la mise en bouteille – et négoce. J'ai tout mené de front. En misant sur la qualité. Avec, parfois, des ratés dus à une certaine impatience, à un peu d'inexpérience aussi. C'est logique. Ces derniers temps, j'ai le sentiment très net d'avoir franchi un cap, notamment en ce qui concerne ma manière de faire le vin. J'ai l'impression qu'une voie s'ouvre pour moi vers plus de finesse et de précision, ce qui, je le sais, créera la différence, le saut qualitatif. Mon père approuverait. J'aimerais qu'il puisse goûter mes millésimes d'aujourd'hui.

Tout à coup, je le vois, presque réel, marchant sur sa parcelle préférée à Villemajou, ce lieu appelé La Forge parce qu'autrefois un forgeron y avait établi son art. Il chemine de dos, légèrement, entre les vignes, touchant les sarments de sa main, comme je l'ai toujours vu faire. Et voilà qu'il fait demi-tour. Maintenant, il se rapproche de moi doucement, comme en rêve, et plante ses yeux dans les miens. Un instant, l'intensité de son regard me déstabilise, et ce que je crois y lire trace mon avenir. Puis il disparaît, avalé par ma stupeur.

L'avion survole notre région, il fait nuit, nous allons atterrir, les lumières clignotent. En bas, la ville brille avec, par endroits, un peu d'obscurité. J'ai enfin la réponse à ma quête. Ma décision est prise. Je vais vinifier La Forge, la parcelle préférée de mon père, séparément et en faire un vin d'exception. En assemblant ce carignan, qui n'est pas seulement une vigne centenaire mais aussi le sang de la terre, avec la très vieille syrah. Cela deviendra un assemblage unique, la véritable alchimie de la vigne, du terroir et de tout ce que je sais aujourd'hui. Il ne ressemblera à aucun autre et révélera l'esprit de Georges Bertrand.

En 1998 naît le premier millésime de La Forge.

26

Le Viala

Suivre son intuition

Il arrive qu'un objet chargé d'histoire nous guide vers des destinations imprévues. Cela m'est arrivé, deux fois. Suivre son intuition, c'est accepter de rencontrer le côté magique contenu en chacun de nous et dans l'Univers.

Il est 7 heures et demie, mais le soleil est déjà bien haut. Pour un 23 juin, veille de la Saint-Jean, cela paraît normal. Je me suis levé particulièrement tôt aujourd'hui. Hier soir, j'ai décidé que j'irai faire le tour des vignes à La Livinière. Tout en progressant de cep en cep dans une parcelle située à deux cent cinquante mètres d'altitude, je me délecte de la fraîcheur, du chant des oiseaux, du ciel sans nuage, prélude à une journée certainement chaude. Je viens d'atteindre un chemin bordé d'un muret de pierre sèche lorsque je lève les yeux et, balayant l'horizon de mon regard, je les fixe sur l'église, à une centaine de mètres. Quelle n'est pas ma surprise de voir alors deux rayons de soleil s'échapper du clocher en forme de minaret, pour venir frapper obliquement une rangée de vignes un peu plus loin de l'endroit où je me trouve, sur la droite ! Les rayons sont si concentrés qu'ils évoquent une image biblique. Comment est-ce possible ? Le clocher est ajouré de deux fenêtres aux colonnes torsadées, ce qui explique les deux rayons. Mais le soleil se trouve-t-il si haut dans le ciel qu'il atteigne les fenêtres du clocher ? Ou bien est-ce un simple reflet ? Je ne m'attarde même pas sur la question, tant je suis ravi.

À vrai dire, je me contente de goûter cet instant. Peut-être suis-je témoin d'un moment magique : je suis ébloui à cet endroit particulier, la veille de la Saint-Jean… C'est un peu comme s'il se passait quelque chose que j'ignorais derrière ce décor familier, une réalité secrète proche de la paix profonde.

Mentalement, je note que la parcelle où tombent les rayons de soleil se situe sur le lieu-dit Le Viala, tout proche du village de La Livinière, dont le nom provient du latin *cella vinaria*, « la cave à vin » – on y cultive en effet la vigne depuis l'arrivée des Romains. Puis je m'attelle au travail de la journée et je repense à ce mystère. Mais je ne comprends toujours pas quelle signification je dois donner à ce que j'ai vécu ce matin. Si tant est qu'il y en ait une !

Quelques mois plus tard, une fois les vendanges des terroirs de Laville-Bertrou effectuées, vient le temps de l'assemblage. Dans mon « temple », me voici donc une fois de plus entouré de mes collaborateurs, assemblant les vins du château Laville-Bertrou avec le même esprit de recherche et de plaisir que d'habitude. Soudain, parmi la trentaine de bouteilles posées sur le plan de travail, j'en repère trois, toutes étiquetées « Viala », chaque bouteille représentant un cépage. J'ai alors l'idée de les assembler. Juste ces trois-là, par pure curiosité, pour goûter.

J'éprouve une curieuse impression d'impatience et d'espérance mêlées, comme s'il allait se passer quelque chose d'extraordinaire, là, maintenant. En portant le verre à mes lèvres, je sens immédiatement une alchimie puissante. La syrah, le grenache et le carignan issus de ces trois cuvées font un mariage exceptionnel. Ce n'est pas encore parfait, mais si je continue sur ma lancée, si je cherche un peu, si j'affine l'assemblage, on devrait pouvoir trouver les clefs du paradis, de ce nirvana olfactif et tactile qui ressemble à une forme de jouissance. Je navigue dans une mer de sensations colorées, sanguines, charpentées. Par moments, je me perds. Finalement, j'émerge de ma recherche et j'annonce : « C'est presque ça ! Quelqu'un veut goûter ? »

Comme d'habitude, quand un assemblage est réussi, nous sommes unanimes. « Comment va-t-on l'appeler ? » me demande un de mes collaborateurs. Du nom de la parcelle dont il provient ! « Le Viala ».

Ce n'est qu'un peu plus tard, en regardant par la fenêtre de mon bureau où je suis assis, que la mémoire me revient et que tout se met en place. Ces trois anciens cépages alliant fraîcheur, puissance et rondeur sont bien ceux qui ont croisé ma route en juin dernier, la veille de la Saint-Jean. Tout est clair à présent. Cette lueur que j'avais vue dans les vignes était un signe : celui du chemin à suivre jusqu'à l'assemblage de ce vin particulier, provenant très exactement de la parcelle frappée par les rayons de soleil. C'est comme si *on* avait dessiné le Viala d'un coup de pinceau lumineux.

27

L'Hospitalitas

Être fier de ses racines

Être fier de son pays, de sa région, de sa famille, de son enfance, et avoir le respect de ses ancêtres. Être fier d'où l'on vient. À partir de là, déployer ses ailes, embrasser le monde et partager. Chacun a, au fond de soi et autour de soi, des racines qui constituent sa richesse et sa force.

« Nous sommes des viticulteurs nés dans une région où il est agréable de vivre ; une région fortement influencée depuis Dionysos par la civilisation de la vigne et la vénération du taureau. Nous sommes heureux de cultiver cette terre contrastée par la montagne, la garrigue, la plaine, les étangs, la mer. » Ainsi parlait mon père en janvier 1980, dans une lettre à l'attention des vignerons qu'il dirigeait.

À sa mort, alors qu'il vient d'être porté en terre, je rencontre son ami d'enfance et ancien camarade de classe, l'historien Jacques Michaud. Il a très bien connu mon père, et pourtant je ne l'ai jamais rencontré. Toujours est-il qu'à ce moment particulièrement douloureux et déstabilisant, il sut me dire les mots qui non seulement me remettent d'aplomb, mais aussi m'aideront à me projeter à nouveau vers l'avenir.

Quand j'acquiers le château L'Hospitalet, c'est lui qui, en bon latiniste, me propose la devise des lieux, *Sine vino vana hospitalitas* – Sans vin, vaine est l'hospitalité –, que j'adopte aussitôt. Je décide, peu après, de choisir une parcelle et d'en faire un vin d'exception, en honneur à ma ville natale, Narbonne, et à son hospitalet. Un vin qui célébrerait l'hospitalité sous toutes ses formes.

Narbonne tire ses origines du temps des Romains, puisqu'elle est fondée en 118 avant J.-C. par un décret du Sénat faisant de ce port au bord de la Méditerranée la *colonia Narbo Martius*. En 49 avant J.-C., Narbonne détrône même Marseille comme lieu de transit entre l'Espagne et l'Italie. De là s'exportent l'huile, le bois, le chanvre, les plantes tinctoriales et aromatiques, les fromages, le beurre, le bétail et... le vin ! En retour, les Narbonnais reçoivent des Romains du marbre et des poteries. C'est ainsi que la ville se couvre de somptueux bâtiments.

« Boulevard de la latinité » selon Cicéron, « la plus belle » selon Martial, Narbonne est capitale de cette province romaine. Quand les Wisigoths mettent Rome à sac en 410, Narbonne devient leur capitale. En 800, sous Charlemagne, elle est encore capitale, du duché de Goth cette fois-ci. La ville demeure riche et puissante jusqu'au XVIIe siècle, quand le sable et les alluvions des cours d'eau comblent la baie et ensablent la cité. Elle pourrait sombrer corps et âme, mais la richesse viticole de la région et le commerce du vin, dont Narbonne reste la capitale incontestée, la sauvent et préservent son activité.

Quelle que soit l'histoire qui rattache Narbonne au vin, il faut imaginer qu'au XVIe siècle, époque où est fondé L'Hospitalet, le bâtiment n'est pas – contrairement à ce que son nom pourrait évoquer – un hôpital. Un *hospitalet*, c'est plutôt une maison de repos, un lieu où l'on donne l'hospitalité aux plus démunis. Donc un endroit que l'on partage avec d'autres. Curieusement, on retrouve cette notion dans le mot latin *hospitalitas*, qui signifie, avant l'ère chrétienne, le partage de territoire entre les peuples établis depuis longtemps dans la région – les autochtones – et les Romains conquérants. C'est même ce partage, dûment organisé par les Romains, qui permit à tout ce monde antique, les Romains comme les Gaulois, de se mélanger et de vivre en bonne intelligence. Par conséquent, ce vin est un hommage à mes racines les plus lointaines. L'hospitalité et le partage comme moyens d'exister ensemble sur la même Terre.

C'est une parcelle de trois hectares dans une combe magique, abritée, bordée d'une truffière, d'un champ de mûriers et d'une oliveraie. La syrah, assemblée avec quelques souches de mourvèdre, exhale les fruits noirs, les senteurs méditerranéennes et, au vieillissement, la truffe noire. En imaginant ces siècles d'histoire, ces vignes telles qu'elles étaient au XVIe siècle, mais aussi toute l'histoire de ma ville, j'ai le désir irrésistible de chanter ma terre et d'en tirer la quintessence.

Je suis né à Narbonne et j'ai grandi au sein d'une famille nombreuse et unie. J'ai connu la vigne comme on connaît son cœur, et mes racines sont enfouies au fond de ce terroir et de ces roches calcaires. Les embruns portés par le vent ont bercé mon enfance. Les cigales l'ont enchantée. L'art de vivre qui me porte aujourd'hui vient de loin.

28

L'Aigle royal

Croire en son idéal

« Je vous le dis aujourd'hui, mes amis, bien que nous devions faire face aux difficultés d'aujourd'hui et de demain, j'ai tout de même un rêve. »

Martin Luther King, sur les marches du Lincoln Memorial, à Washington D. C., le 28 août 1963.

Que regardent-ils quand ils volent ? Leur proie, très certainement. Certes, mais voient-ils le paysage, avec ses cépages de chardonnay et de pinot plantés à cinq cent trois mètres d'altitude, la cabane exposée plein sud, le chemin qui grimpe vers leur domaine, les tournesols, le village de Roquetaillade, en face et en contrebas, son église et son château ? Peut-être nous aperçoivent-ils si nous courons sur la montée. Peut-être nous sentent-ils si, éblouis de tant de beauté, de soleil, respirant à pleins poumons la pureté de l'air, nous nous ressourçons... Pour honorer ce couple tournoyant, majestueux, noble et fidèle, j'ai nommé « Aigle royal » cette parcelle d'altitude, produisant un chardonnay à la minéralité intense et un pinot à la robe voluptueuse.

La tradition relie les origines du chardonnay à la Bourgogne ; or il semblerait, selon une étude récente, que ce cépage provienne des collines de Jérusalem. L'origine du mot chardonnay serait biblique, *cha'ar adon'ai* en hébreu signifie « porte de Dieu ». Au retour des croisades, les plants seraient arrivés en France. Cela renforce nos convictions sur le grand potentiel des terroirs méditerranéens d'altitude pour ce cépage de référence. Concernant le pinot noir, tout concourt à établir qu'il est originaire de Bourgogne. Déjà cultivé par les Gaulois, il tire son nom de sa forme en pigne de pin.

Les aigles volent au plus haut des cieux tout en ayant l'œil sur Terre. Ils me font penser à la phrase d'Antoine de Saint-Exupéry « Fais de ta vie un rêve, et d'un rêve une réalité ». Réussir à incarner son idéal est un véritable travail, et, quand on y arrive, c'est magique. Ainsi, moi aussi, j'ai un rêve. Et quand je viens sur cette parcelle et que je contemple la nature, mes pensées s'élèvent vers cet idéal, je le confie au ciel et lui demande de me le rendre vivifié, rempli de puissance. Faisant face à la parcelle de l'Aigle royal, je contemple la montagne où l'on devine les châteaux cathares. C'est là que commence mon rêve. La réalité s'accorde à mes pensées, car les fruits engendrés sur ces deux parcelles délivrent la quintessence et la complexité de chaque cépage.

Le blanc, issu de chardonnay, révèle, au bout de six à huit mois d'élevage en fûts de chêne, une complexité, une richesse et une minéralité garantissant un grand potentiel de garde. Le rouge élaboré avec le pinot noir m'a initié au sens de la précision et du minimalisme. Ce cépage est le réceptacle du goût du terroir, mais aussi un passeur d'émotions, un transmetteur de message, une invitation à la spiritualité.

Conservés en magnum, ces vins pourront accompagner et célébrer vos prochaines décennies.

IV

RETOUR VERS LE FUTUR

29

Tautavel

Révéler les terroirs

Révéler les terroirs, c'est mettre en lumière ce qui est caché. La nature n'est rien sans le travail de l'homme. Et pour travailler la vigne, il faut être plusieurs. Plusieurs à s'épauler : l'élan collectif permettra au vin de s'exprimer, et de donner le meilleur de lui-même.

Le 22 juillet 1961, un certain Henry de Lumley, archéologue de trente-six ans, découvre un crâne humain dans une grotte perchée dominant la vallée dite de la Caune de l'Arago.

Quarante ans plus tard, son équipe et lui peuvent se vanter d'avoir trouvé plus de cent vingt fossiles humains ayant vécu entre 690 000 et 300 000 ans avant notre ère. Grâce à ces fouilles, qui se déroulent sept mois par an depuis quarante ans, l'humanité, et particulièrement l'Europe, a fait connaissance avec un des *Homo erectus* les plus archaïques, appartenant à la famille des Anténéandertaliens. Depuis ces découvertes, le village vit dans la culture de l'accueil, la renommée de la grotte et des habitants attirant de nombreux touristes, sans parler du centre de recherche et du musée qui constituent eux aussi un pôle d'attraction.

La découverte antérieure de la grotte en 1836 par Marcel de Serras – qui en étudia la faune – a finalement permis, cent vingt-cinq ans plus tard, de révéler au monde nos ancêtres lointains. Les habitants de Tautavel eux aussi ont été reconnus à cette occasion, dans le sens où une nouvelle vie, plus riche à tout point de vue, s'est ouverte à eux.

J'aime ce village de Tautavel, situé sur les contreforts d'un causse en arc de cercle, avec ses maisons presque montagnardes malgré leurs toits de tuiles rouges méditerranéennes. Je n'y ai que de bons souvenirs. Quand on se promène au-dessus du village, c'est-à-dire sur le plateau du causse, on comprend parfaitement pourquoi les hommes préhistoriques s'étaient établis dans ce magnifique paysage minéral : de la grotte, on découvre la vallée du Verdouble à perte de vue. Très utile pour surveiller les déplacements d'animaux tels que les mouflons, les rennes, les rhinocéros ou encore les buffles qui paissaient tranquillement dans la plaine. Les hommes de cette époque chassaient dans un rayon de trente kilomètres autour de la grotte qui, selon le moment, constituait tantôt un habitat permanent, tantôt un campement éphémère.

La vigne, quant à elle, a surgi dans ce paysage grandiose vers le VIe siècle avant J.-C. Et l'homme poursuit inlassablement sa route, cultivant, procréant, s'appropriant l'espace. Comment ne pas se laisser emporter par le tourbillon de nos récentes années ? Des dates comme celles qu'évoque Yann Arthus-Bertrand dans son film *Home* nous font prendre conscience de notre incarnation : la formation de la Terre il y a 4 milliards et 600 millions d'années, l'apparition des premières bactéries il y a 3 milliards et 500 millions d'années, celle de l'homme il y a 4 millions d'années, et, pour finir, l'homme de Tautavel il y a 450 000 ans. Dates que le cinéaste met en perspective avec la petite centaine d'années qui nous sépare de l'apparition du pétrole, modifiant la Terre et la mentalité de ses habitants à tout jamais...

L'accélération de la technique nous projette dans un espace-temps radicalement différent de celui de nos ancêtres, notre tête et notre corps ayant du mal, quoi qu'on en dise, à métaboliser ces transformations rapides. Face à tout ceci, Tautavel. Retour aux sources de l'humanité. Le temps s'étale en longues plages et nous sommes si insignifiants que nous en devenons tranquilles, apaisés. Je contemple le cirque naturel auquel s'adosse le village. J'admire la vigne alentour. Je connais sa puissance : Tautavel est un grand terroir, qui s'exprime à travers le grenache noir – le cépage dominant –, le carignan et la syrah. C'est la pauvreté de ces sols et leur caractère schisteux qui en font la richesse : ici, la vigne est obligée de s'enraciner en profondeur. Elle doit alors trouver un équilibre entre sa partie visible – le cep, les feuilles, les fruits – et les longues racines qui serpentent entre les pierres à la recherche de la moindre trace d'humidité.

À Tautavel, la qualité va de soi. Tout comme la chaleur et la générosité du vin. Mais ça, c'est autant une question de terroir qu'une histoire d'hommes. Joseph Monzo, Régis Ougères, accompagnés de l'œnologue Marcel Rouillé, ont été les précurseurs. Quand j'arrive pour la première fois à Tautavel, en 1995, je rencontre des vignerons ouverts à un projet : fédérer leur production et créer une gamme de vins. Le vin ici est vraiment différent par rapport à la concurrence, en vertu de la richesse de l'histoire, de la présence d'un lien tangible entre les générations, et surtout d'un territoire remarquablement adapté au grenache. Ces sols, composés ici de schistes, là de calcaire, font la part belle à ce cépage, décliné en trois couleurs : noir, gris et blanc.

Le grenache noir, dominante essentielle des assemblages de l'appellation Tautavel, est une variété résistant à la sécheresse et révélant beaucoup de générosité, de suavité, en plus d'un tourbillon de fruits rouges et noirs. Le grenache gris, autrefois utilisé pour l'élaboration des vins doux naturels, est aujourd'hui sélectionné par nos soins pour élaborer le fameux rosé Gris Blanc. Enfin le grenache blanc, ramassé en sous-maturité, donne un blanc fruité, vif, racé et minéral que l'on appelle vin vert.

L'assemblage des vins rouges de Tautavel est constitué pour les cuvées Réserve et Grand Terroir de 70 % de grenache noir, 20 %

de syrah et 10 % de vieux carignan. La cuvée Hommage, dédiée à la gloire des vignerons, est une sélection exclusive des plus vieux grenaches, dont certains sont centenaires.

Nous sommes tombés d'accord très rapidement avec les viticulteurs en nous engageant pour un contrat de dix ans, que nous venons de renouveler. Bien sûr, chacun avait son opinion, et les discussions allèrent bon train. Il nous appartenait de révéler au monde le patrimoine de ces hommes en fédérant les moyens humainement, œnologiquement et commercialement. Nous nous y sommes attelés. La qualité, elle, s'améliore de vendange en vendange. L'important, c'est l'union sacrée entre les vignerons des trois villages et mes équipes, et nous sommes fiers aujourd'hui de vendre les vins de Tautavel en France et dans trente pays, contribuant ainsi, au-delà du succès commercial, à la reconnaissance du patrimoine, de l'histoire de nos ancêtres et de l'art de vivre catalan.

30

Gris Blanc, Gio et Code Rouge

Les pépites

Au-delà de ma passion pour les vins des domaines, qui ont chacun une personnalité différente, je comprends rapidement mon besoin viscéral de créer et d'innover. C'est ainsi qu'en sillonnant les routes du Roussillon, et plus précisément la vallée de l'Agly, je me suis laissé guider par la conviction de trouver une nouvelle voie pour le grenache gris, produit dans ces endroits magiques du pays catalan. Ces vieilles vignes produisaient des vins de base servant essentiellement à l'élaboration des vins doux naturels et du rivesaltes en particulier. La consommation de ces produits était en chute régulière sur le marché français et n'avait jamais véritablement trouvé sa place à l'exportation, étant surtout concurrencée par les portos et autres jerez.

J'en informe le président de la cave de Tautavel, et nous vinifions en 2005 cinquante hectolitres, soit six mille cinq cents bouteilles. Le résultat dépasse toutes mes espérances et nous décidons de lancer le produit sur le marché. Par intuition, je l'appelle Gris Blanc, car le grenache gris peut entrer dans la composition des vins blancs et des vins rosés. Sa couleur cristalline, son caractère unique, sa minéralité en font un produit remarquable et différent de tous les autres rosés. J'adore sa longueur en bouche ainsi que sa légère amertume finale, lui donnant une saveur très particulière. Lors de la deuxième saison sont élaborées quarante mille bouteilles que nous commençons à vendre en dehors de la France. La typicité, la sapidité de ce vin, sa capacité à étancher la soif ont conquis les consommateurs dans plus de cinquante pays. La bouteille élancée, l'étiquette épurée et la sobriété de l'habillage contribuent à la reconnaissance et à l'appropriation de ce produit. Nous sommes fiers d'avoir fait bouger les lignes en ayant été précurseurs sur le marché.

La consommation de rosé est en plein développement, correspondant aux attentes des consommateurs modernes et en particulier des femmes, qui s'affranchissent des conventions, afin de vivre ce vin comme un plaisir immédiat et une occasion de partage. Le Gris Blanc, c'est l'occasion de faire la fête.

Gio, c'était le surnom d'enfance de mon père Georges. Ce nom fleure bon la Méditerranée et un certain goût pour la liberté et l'impertinence. La viticulture méditerranéenne est imprégnée de la typicité des cépages grenache, caractérisés par leur puissance, leur générosité et leur sucrosité dans les trois couleurs. Mes équipes ont eu l'idée de créer un vin pour tous les jours en monocépage, afin de célébrer la nature du fruit et la gourmandise. Ces cuvées de rouge, rosé et blanc précocement mises en bouteille sont issues des jeunes vignes de notre région. Mon père disait souvent : « Tu sais, Gérard, c'est difficile de faire du mauvais vin avec le grenache », tant son cycle végétatif est bien adapté à notre région. Ces trois vins sont une garantie de plaisir immédiat et d'esprit de partage.

Dès 1990, à l'initiative de Gérard Margeon, sommelier du groupe Alain Ducasse, nous développons également pour nos rosés différents contenants, notamment le magnum et le jéroboam, afin de sublimer la célébration de l'art de vivre et de servir.

Quelque temps plus tard, accoudé devant un vieux rhum au bar de l'hôtel *Belle Mare* à l'île Maurice, il me vient une fulgurance. Sans raison et sans préméditation, mon regard se porte sur la bouteille rouge d'une vodka mondialement connue. Le Code Rouge vient à cet instant précis de commencer son cycle de vie. Je suis depuis longtemps un inconditionnel des bulles et en particulier des grands champagnes, qui me rendent heureux et me procurent une certaine excitation. J'ai toujours été fasciné par l'étrange alchimie des vins de cette région, entre simplicité et complexité. Ouvrir une bouteille de champagne est une assurance de célébration et de rencontre réussie. Inconditionnel de Dom Pérignon, j'ai appris à découvrir et à apprécier les grandes cuvées de Laurent Perrier, Veuve Clicquot ou Nicolas Feuillatte.

Les efforts réalisés par les autres régions productrices de vins effervescents ont ouvert une nouvelle voie pour répondre à la demande croissante de ce type de vins en France et dans le monde. À Limoux, le poids de la tradition et le ballottement entre blanquette et crémant ont retardé l'allumage dans les années quatre-vingt-dix. Récemment, les caves de Sieur d'Arques et quelques propriétaires comme Antech, Denoit ou Rosier ont produit des cuvées de très belle facture, capables de rivaliser avec les meilleurs. Je choisis alors de me lancer dans l'aventure et de travailler à un assemblage de blanc de blancs de très haut niveau. Je sollicite les conseils avisés de grands spécialistes tels que Philippe Coulon, expert ès bulles et ancien rugbyman. L'assemblage de chardonnay et de chenin avec une pointe de mauzac donne naissance en 2010 à la première cuvée de Code Rouge. Ce crémant de Limoux produit en quantité limitée complète la palette de nos vins et confirme notre volonté de répondre aux besoins du consommateur.

Nous avons choisi un habillage volontairement en rupture avec la tradition et transgressif, car l'âme et la destinée de ce produit résident dans la volonté croissante exprimée par les consommateurs de s'affranchir des codes classiques et donc de chercher leur voie, passant par l'épanouissement personnel et la compréhension de leurs aspirations. La vie de Code Rouge commence bien : au bout des trois années d'élevage nécessaires pour atteindre une certaine maturité, le lancement est réussi. Le positionnement, résolument haut de gamme, sécurise les Languedociens et leur donne la fierté de pouvoir, à l'instar des moines de l'abbaye de Saint-Hilaire qui, en 1531, créèrent le premier brut au monde, célébrer les moments forts avec un breuvage de notre chère région.

31

Legend Vintage

L'empreinte des hommes

Le terroir du Roussillon porte en lui de nombreux secrets et quelques trésors. Nous tirons notre force, nos racines, notre culture et notre spiritualité de la Méditerranée. Les Égyptiens, les Hébreux, les Grecs, les Romains, et plus tard les Wisigoths, les cathares et les Perses portent en eux les fondements des trois religions monothéistes qui relient les peuples de ces régions d'Europe du Sud, d'Afrique et du Moyen-Orient. Notre symbolique, nos coutumes, nos rituels sont fortement imprégnés de cet héritage millénaire.

Narbonne étant après Rome le deuxième port le plus puissant de la Méditerranée dans l'Antiquité, il favorise les échanges en tout genre, en particulier le commerce des vins : d'abord en jarres, puis en fûts, et enfin en cuves de grande capacité. Les années soixante marquent le développement des échanges commerciaux viticoles entre la France, l'Espagne, l'Italie et l'Algérie, répondant à la vague de consommation de vins riches et généreux pour étancher la soif des classes populaires.

Les vins doux naturels ont toujours eu leur propre musicalité. Leur heure de gloire remonte au royaume de France, quand le roi Louis XIII et Richelieu se délectaient des muscats de Frontignan, les plus réputés à leurs yeux.

Dans le pays catalan, les vins doux naturels contribuent à la fortune du département. La famille Byrrh participe au développement exemplaire de la viticulture en garantissant l'approvisionnement et en construisant dans tout le département des caves de stockage pour la production et le vieillissement de ces vins. Dans les années soixante, le Byrrh est l'apéritif favori des Français. Il présente l'avantage d'une capacité de conservation à toute épreuve. Son goût sucré, sa texture, ses arômes de bois, de fruits et d'épices plaisent aux consommateurs. Ce type de vin se marie à merveille avec les douceurs créées dans cette région – croquants de Saint-Paul-de-Fenouillet, rousquilles – dont les meilleures sont toujours fabriquées à la boulangerie d'Arles-sur-Tech selon une recette jalousement préservée.

Dans les années d'après-guerre, quelques vignerons de qualité commencent à commercialiser leurs vins, en s'affranchissant du négoce tout-puissant. Le mas Amiel, le domaine de Volontat, les vignerons de la Côte radieuse, les frères Cazes sont les pionniers du changement et de la montée qualitative de ces produits. Trois appellations, Rivesaltes, Maury et Banyuls, marquent le territoire et révèlent des arômes, des typicités et des assemblages différents.

Le maury est le royaume du grenache noir, la quintessence de la pureté et de la subtilité de ce cépage. Doté d'arômes fruités, d'une bouche élégante et suave, il peut se consommer très jeune. Il détient également un fort potentiel de vieillissement. Le maury, c'est la force brute, l'orgueil du Roussillon.

Le banyuls se décline en rouge, mais aussi, plus rarement, en blanc. Le rouge est issu d'un assemblage de grenache rouge et de grenache gris donnant au vin beaucoup de finesse et d'élégance. Influencée par les vents et les embruns de la Méditerranée, cette appellation délivre des vins élégants, intenses et mystérieux.

Le rivesaltes est une grande région, son aire d'appellation s'étendant sur les départements des Pyrénées-Orientales et de l'Aude. Il se décline en blanc, rosé et en rouge. Il offre une plus grande liberté de créativité que les deux autres, pouvant être issu de plusieurs cépages – grenaches noir, gris et blanc, et macabeu. Dans le passé, le carignan était également très souvent utilisé. Deux catégories ont été définies : le rivesaltes ambré, plus pâle et provenant majoritairement de macabeu et de grenache gris, et le tuilé, incluant une proportion supérieure de grenache rouge.

Cette appellation étant la plus vaste, elle est également la plus difficile à valoriser. Par dépit, plus que par volonté, les vignerons gardent les vins en cave, surtout dans les périodes où le marché est atone. Les familles se transmettent ces trésors de génération en génération et perpétuent la tradition. Les foudres en bois, à cause de leur porosité et de leur capacité d'échange, sont favorables à l'oxydation et donc au vieillissement des vins. Mon père m'a très tôt initié à leur dégustation avec le mas Sauvy, qui produisait des vieux rivesaltes remarquables, élaborés au moyen de la méthode solera – technique consistant à mélanger plusieurs millésimes afin d'obtenir un goût et une typicité constantes. Plus tard, en vadrouillant dans le Roussillon, je ne manquerai jamais l'occasion de goûter ces vins et de me délecter.

Au début des années quatre-vingt-dix, mes équipes me signalent qu'il y a d'importants volumes de rivesaltes du millésime 1974 à la cave de Terrats. J'y vais, déguste, et décide de me porter acquéreur de l'ensemble de ces vins. C'est ainsi que nous lançons sur le marché deux cent mille bouteilles de ce vieux rivesaltes. En deux années, tout est vendu. Nous avons développé une catégorie premium pour ces vins d'exception, désormais diffusés à une plus grande échelle.

Plus tard, une visite à Mme Villa, une dame charmante et passionnée, nous permet de nous porter acquéreurs d'un pur joyau de quatre mille bouteilles de 1959. Elle a gardé ce vin en cuve pendant plus de quarante ans, car son mari lui avait confié qu'il s'agissait d'un millésime exceptionnel. C'est ainsi que nous avons placé ce vin dans les meilleurs restaurants du monde. Le succès est tel qu'au bout de trois ans nous sommes démunis. Pas pour longtemps, car notre changement d'importateur au Danemark m'impose de reprendre l'ensemble des stocks. Recevant sa liste des vins, je suis ravi de découvrir que cent vingt bouteilles de ce rivesaltes 1959 dorment dans une cave de Copenhague. Je ne me fais pas prier : nous récupérons avec joie l'ensemble des bouteilles en remerciant la Providence.

Ces vins me procurent une émotion rare. Ils sont un témoignage des générations passées, un savoir-faire ancestral et une humilité caractérisée : tous les ingrédients nécessaires pour se laisser envoûter par des produits de légende. Ils peuvent se boire avant, pendant ou après un repas. Ils accompagnent également les moments de solitude, de recueillement et de méditation.

J'aime, à la tombée de la nuit, lors d'une soirée estivale, m'installer dans le jardin et me servir une larme de rivesaltes 1945. L'émotion me gagne rapidement. Les effluves du vin se confondent avec le vagabondage de mes pensées. Mon esprit s'anime, je communie avec la beauté de la nature, et je rends grâce à la magie de l'instant. Ce vin est un marqueur de temps. 1945 symbolise pour moi la victoire des forces du bien, la liberté retrouvée, l'élan d'un monde nouveau, la possibilité de se libérer de la peur et de l'effroi.

Marcel Rouillé, mon ami et complice catalan, a passé quarante ans de sa vie à parcourir le Roussillon, à vinifier les meilleurs crus et à entretenir des relations de grande qualité avec l'ensemble des vignerons du pays. Démontrant son savoir-faire, il a rivalisé avec l'autre grand œnologue du Roussillon, Jean Rière – dont mon ami de collège Jean-Michel Barcelo vient de reprendre le flambeau avec talent –, challenge permanent mais amical. Une fois les droits à la retraite de Marcel arrivés à échéance, je l'investis d'une mission. Il faut qu'il m'aide à créer une collection de plusieurs « vintages ». Pendant dix ans, patiemment, nous visitons des caves, empruntant des chemins singuliers, initiatiques et intemporels. Aidés de l'expertise et du talent de Stéphane Quéralt – notre œnologue originaire du Roussillon –, nous réouvrons une cave dont le propriétaire avait perdu les clefs depuis vingt ans.

Les recherches dépassent nos espérances. Nous avons aujourd'hui créé une collection de dix-neuf millésimes allant de 1977 à 1875. Deux siècles d'histoire, de légendes, de bonheurs et de souffrances contenus dans ces flacons.

Toutes ces productions que nous avons dégustées sur fût, nous les avons embouteillées avec la plus grande attention. Mon objectif est de vendre seulement une partie de ces vins rares durant le reste de ma vie professionnelle et de laisser aux générations futures l'essentiel de ces bouteilles afin de perpétuer la tradition et de continuer à délivrer la quintessence du message de notre région.

32

Mille et un détails

De l'apprentissage à l'expérience

Cap Insula symbolise notre enracinement dans le territoire de la Clape, originellement dénommé *Insula lec*, et marque une destination, un cap reliant notre nouvelle cave avec la mer Méditerranée. Au cœur de vingt-trois hectares de vignes, Cap Insula crée le lien entre la tradition de la viticulture et le renouveau de notre région.

Élaborer les meilleurs vins au XXIe siècle, c'est respecter les origines de nos ancêtres et utiliser les techniques modernes de vinification, d'élevage et d'embouteillage des vins afin de pouvoir capturer l'essence et l'originalité des territoires et de garantir aux consommateurs une qualité pérenne sur tous les continents.

Produire un grand vin exige de la patience, de la maturité, beaucoup de rigueur, mais aussi le partage d'une même vision avec son équipe et une intuition permettant de rechercher, et donc de révéler, l'âme du terroir. C'est un chemin semé d'embûches, marqué par le rythme des saisons et des climats.

Il est donc essentiel d'être humble et connecté à la nature afin de s'adapter à elle, sans essayer en aucune manière de lui imposer de prétendues techniques ou artefacts. La vigne n'est pas une plante hors sol. Une souche prend la forme symbolique du corps humain dont les jambes sont les racines, reliant les raisins à la terre, qui nourrit et transmet les forces telluriques.

Le tronc est la partie visible, immuable, protégée par une écorce qui, comme la peau, se dessèche, s'humidifie, se renouvelle au fil des années. La forme est d'une façon générale assez droite, mais parfois tortueuse, nouée. C'est la colonne vertébrale de la souche, qui peut présenter certaines courbures, telle une scoliose. Les vents exercent un impact certain sur ce degré d'inclinaison, donnant une indication claire sur son influence dominante.

Nous avons treize vents différents dans le Narbonnais : le vent du Sud, le vent d'Espagne, la tramontane, les carcasses, le cers, le vent du Nord, le saint-porais, l'autan, le grec, le narbonnais, le marin, le vent d'Est et le vent des causses. Ils ont tous une influence sur le développement et la typicité du millésime.

Enfin, les sarments, dans le prolongement des ceps – des souquets, en occitan –, représentent les bras, les mains et les doigts. Au bout de ceux-ci apparaissent au printemps les fleurs, qui se transformeront en fruits. Les raisins prendront petit à petit leur forme, leur couleur et leur taille définitive, dans un lent processus de développement et de maturation. Les feuilles, qui captent par la photosynthèse l'énergie provenant du soleil, de la pluie et de l'air, sont leur principal allié. Le raisin fixe aussi les arômes environnants des plantes voisines – cistes, oliviers, arbres truffiers, mûriers, genêts, thym et romarin.

Le biotope dans lequel la vigne se développe, le respect d'une agriculture naturelle et la présence des arbres de différentes variétés, sont donc essentiels à l'harmonie du domaine viticole. L'homme doit respecter l'équilibre de la nature s'il existe déjà ou le recréer quand il a disparu. Cela fixe la terre fertile sur le terroir et donc garantit à la prochaine génération de paysans la présence du maintien de la vie dans le sol. Le vigneron est un bienfaiteur de l'humanité, car par sa présence, son travail, la précision de ses gestes, il protège la terre nourricière et favorise l'harmonie en ce monde.

La symbolique de la taille de la vigne revêt elle aussi une forte signification, car elle permet, en taillant les bois morts chaque hiver, de renouveler et régénérer la souche, créant ainsi la promesse d'une nouvelle saison dont l'induction florale aura pris naissance avant la vendange précédente. Ce processus immuable, ce cycle parfait, nous oblige au plus grand respect et à la sagesse.

Une vieille vigne, parfois centenaire, aura comme compagnon humain plusieurs générations. Elle pourra continuer à décliner son message, sa poésie sur plusieurs décennies, à travers les bouteilles et les dégustations verticales que l'on boira avec émotion.

Le vin fixe le temps, qui passe inexorablement. Il est la seule boisson provenant d'une plante pérenne qui puisse provenir d'un terroir délimité, parfois d'une parcelle, en offrant une si grande variété de repères. On comprend aisément la magie, l'alchimie, l'amour contenus dans une grande bouteille. L'amoureux de vin recherche cette rencontre qui va le transporter quelques instants, quelques heures dans un autre univers, lui permettant de partager un moment de grâce.

Le vigneron doit également maîtriser les différentes étapes, depuis la date de récolte jusqu'à l'expédition du produit fini, en passant par la vinification, l'élevage, l'assemblage et la mise en bouteille. On revient ici aux « mille et un détails » chers à mon père. Mon expérience, partagée avec mes compagnons de vigne, consiste à goûter les raisins plusieurs fois pour chaque parcelle afin de déterminer la date de récolte dépendant du niveau de maturité, du potentiel qualitatif mais aussi de la maturité phénolique – état d'évolution de la peau et des pépins du raisin. Il faut examiner leur couleur, les faire craquer sous la dent pour prendre cette mesure. La couleur d'un pépin mûr évolue du vert au brun : il doit s'écraser sans résistance. Il peut ainsi être un allié ou un ennemi du vin : s'il n'est pas parvenu à maturité, il peut délivrer de l'amertume, principale responsable de l'astringence. C'est surtout vrai pour les vins rouges, qui nécessitent plusieurs jours de cuvaison.

Une fois le raisin rentré en cuve, on fait démarrer la vinification, que le maître de chai suit et influence plus qu'il ne la maîtrise. Il n'y a pas de magicien dans les chais, simplement des hommes « pensant bien » et inspirés.

Vient ensuite le temps de l'assemblage, processus déterminant dans la constitution du vin. C'est l'acte le plus important de toute cette chaîne continue depuis la taille jusqu'à la mise en bouteille. Il est le révélateur du caractère du vin, de son originalité, de sa typicité. Il doit sublimer le terroir et les caractéristiques du millésime.

L'assemblage de différentes parcelles est un travail d'orfèvre, exigeant du vigneron une expérience affirmée et une bonne connaissance de l'environnement et de la région pour éviter de faire des vins standardisés, sans émotion et sans âme, quoique techniquement bien faits.

Dans la logique de la hiérarchie de la pyramide des sens (voir p. 83) le consommateur peut évoluer en passant par les étapes du plaisir, du goût, de l'émotion et du message. Il peut ainsi entrer dans le cercle fermé des érudits, des éveillés, de ceux qui ne se satisfont plus de goûts simples mais recherchent la complexité, fruit de la sagesse, de l'inspiration et de l'excellence du vigneron.

J'ai eu récemment le privilège de rencontrer une personnalité hors du commun, M. Katsumi Tanaka, écrivain japonais féru de biodynamie et grand connaisseur des terroirs viticoles français. Cet amateur de vins, ayant passé une partie de sa vie dans les cuisines d'un restaurant à New York, a toujours eu le souci et la volonté de percer les mystères du vin, de ressentir son potentiel, sa verticalité et son niveau vibratoire. En quelque sorte, il est à la recherche de la musicalité du vin, de l'accord parfait, délivré par une symphonie de couleurs, d'arômes et de goûts.

Katsumi a notamment réussi à comprendre l'importance de l'assemblage et l'ordonnancement des vins qui le composent. Il recherche la mélodie, la résonance, l'équilibre harmonieux. Il définit la construction d'un vin comme celle d'un temple, avec les fondations, la structure, le corps et le toit.

Chaque vin provenant de différentes cuves entre dans une de ces catégories. Cela implique également de trouver une divine proportion entre les différents niveaux. Si l'on y réfléchit bien, les grands peintres de la Renaissance utilisaient le nombre d'or dans leurs tableaux. Léonard de Vinci en a été l'un des plus influents utilisateurs. Rechercher la perfection, l'excellence, peut relever d'une certaine logique mathématique, fondée sur l'utilisation de nombres premiers.

Cette séance d'assemblage vient confirmer et expliquer ce que nous comprenions déjà de manière instinctive. L'objectif ultime est que le vin, une fois assemblé, devienne multidimensionnel et occupe l'ensemble de la cavité buccale, en lien avec les sens, le cœur et le néocortex. Cela passe essentiellement par l'équilibre parfait, réunissant les arômes, la structure, la texture et la minéralité. Une fois l'assemblage réalisé et la divine proportion trouvée, l'élevage permet de civiliser les tannins des vins rouges, d'affiner les vins blancs et de développer la maturité nécessaire avant la mise en bouteille. Le choix des fûts est également très important. Jean-Claude Berrouet m'a transmis, au fil des années, son expérience et sa connaissance relatives au choix des chênes, à la chauffe des fûts, à la nature du grain du bois, à la durée du séchage à l'air libre, et bien sûr à son origine. L'étape suivante est la préparation des fûts avant de les remplir de vin. C'est un cérémonial précis, consistant à rincer les fûts à l'eau claire afin d'éliminer les excès de tannins. Au bout de quelques jours, l'eau les a captés et s'est colorée, oscillant entre le vert et le marron. Une fois le vin mis en fûts, la période d'élevage peut commencer. Pour les blancs, elle dure dans nos domaines entre six et huit mois, et pour les rouges au minimum douze mois, soit un cycle annuel. Les tannins du vin vont se marier avec ceux du bois, s'affiner, se polymériser[1] et présenter plus de complexité, d'élégance et de finesse. Le bois a remplacé les jarres d'argile d'autrefois pour le transport du vin, car il favorise par sa porosité les échanges et donc ce que l'on appelle l'oxydation ménagée. Après cet élevage, chaque barrique est goûtée et répertoriée afin d'éviter tout risque de déviation, et une fois le contrôle effectué, l'assemblage est réalisé.

Maintenant que le vin est à nouveau en cuve, il convient de le préparer à la mise en bouteille. Ce processus est le même pour l'ensemble de nos vins et de nos assemblages, vins de tous les jours ou produits d'exception. La méthodologie est identique, mais les applications sont toujours différentes. Le charme de notre métier est que chaque vin demande une analyse, un travail, un traitement spécifique. Il n'y a chez nous aucune standardisation. Chaque vin est unique par nature et mérite la même attention que tous les autres.

Pour aller plus loin dans notre volonté d'excellence, il nous fallait nous doter d'une cave conçue dans cette philosophie. Nous avons donc choisi un architecte sensible à notre pensée et à l'écoute de nos besoins. Jean-Frédéric Luscher a remporté le concours d'architectes en nous proposant une création originale en forme de H – comme Harmonie, Hédonisme et Hospitalité. La configuration de ce bâtiment

1. Affinage de tannins du vin.

édifié selon des règles écologiques permet une excellente circulation d'énergie et respecte la théorie de construction des temples antiques, assurant l'équilibre de l'influence des forces cosmiques et des forces telluriques dans une parfaite harmonie. Les vins peuvent ainsi recevoir les informations nécessaires avant d'être mis en bouteille. Le toit de la cave est en bois naturel ; les fondations et les murs sont en ciment brut et en brique, qui sont des matériaux favorisant les échanges.

Chaque temple, église ou cathédrale a été conçu pour apaiser les hommes et les femmes et pour les connecter à Dieu, donc à l'Univers. Il y a une dimension sacrée, un élan spirituel dans cette construction. Nous avons également équipé la cave du matériel le plus pertinent et le plus élaboré, garantissant la maîtrise de l'ensemble des processus menant à la mise en bouteille.

Après quelques semaines de stockage, les vins sont prêts à rejoindre les caves de nos clients dans le monde et à véhiculer, quand ils seront bus, l'esprit, l'origine et le caractère de nos terroirs.

33

Tendre la main aux générations futures

Sine vino vana hospitalitas. Sans vins, vaine est l'hospitalité. Cette devise reprend les valeurs de notre groupe, de nos équipes et de notre art de vivre.

Cinquante ans, c'est le midi de la vie. J'ai éprouvé le besoin de faire un retour sur moi-même et de vous livrer un témoignage sur mon chemin initiatique. Je suis passé bien vite de l'enfant des Corbières à l'adulte responsable. Il m'a fallu comprendre le sens de cette nouvelle vie qui s'était imposée à moi au décès soudain de mon père, le 28 octobre 1987. Au-delà de l'amour, de l'admiration et du respect que j'ai toujours voués à mes parents et du lien fusionnel que j'entretenais avec mon père Georges, il était essentiel, voire vital pour moi d'examiner cette voie afin de savoir si elle aurait aussi été la mienne en sa présence. Sans nul doute, elle eût été différente. Il est parfois difficile de trouver sa place auprès de son père, quand il est aussi le mentor et le patron. Je suis toutefois persuadé que j'aurais pu mener certains projets de façon assez autonome pour me forger ma propre expérience, grandir à ses côtés et profiter de son expérience. La vie en a décidé autrement.

Comme un signe du destin, j'ai repris les rênes du domaine familial avec fougue, passion et ambition sans oublier de garder assez d'énergie pour poursuivre ma carrière sportive. Mon père a continué à m'accompagner, à m'inspirer pendant quelques années. À sa disparition, j'ai ressenti un manque, mais pas une absence. Cela m'a amené à m'interroger sur la vie, la mort, l'au-delà, et à renforcer mes convictions et ma foi. Je suis profondément convaincu qu'il n'y a pas de hasard mais qu'il y a un sens, parfois caché, en toute chose. Chacun doit trouver la bonne clef, qui ouvre la bonne porte, afin de découvrir son chemin personnel et vivre pleinement. Cela ne peut se produire sans volonté, ni confiance.

Comme l'a écrit Nelson Mandela, « C'est notre lumière, pas notre part d'ombre, qui nous effraie le plus. Nous nous demandons, qui suis-je pour oser être brillant, magnifique, talentueux, fabuleux ? Mais en fait, qui suis-je pour ne pas l'être ? Vous êtes un enfant de Dieu. Jouer petit ne rend pas service au monde. (...) Nous sommes nés pour rendre manifeste la gloire de Dieu qui est en nous. Elle est en chacun. En laissant notre lumière briller, nous donnons inconsciemment aux autres la permission d'en faire autant. »

Il y avait quelque chose d'étrange, comme un passage de témoin, un message à porter plus loin, plus haut, plus fort dans cette démarche, qui peut parfois prendre des élans mystiques. Le rugby m'a construit, le vin a révélé en moi une profession de foi. La synchronicité, la Providence m'ont permis de faire les bonnes rencontres et m'ont ouvert des voies essentielles à ma prise de conscience et à mon évolution spirituelle.

Ayant arrêté la pratique du rugby en 1994, à l'aube de mon trentième anniversaire, j'ai pu m'investir dans ma passion pour le vin de ma région et vivre pleinement cet engagement. Que de nuits sans sommeil, que de remises en question, que de doutes ont jalonné mon début de carrière professionnelle ! L'exaltation, la fougue, l'adrénaline ont été mes principaux exutoires. Au bout de cinq ans, j'ai commencé à me calmer intérieurement et à trouver d'autres ressorts nécessaires à mon développement personnel. La volonté a toujours été mon principal allié, il me restait à développer mes compétences et mes connaissances.

La viticulture et l'œnologie demandent une ascèse, un engagement sans faille pour obtenir une certaine forme de clairvoyance. Ces mots de mon père revenaient sans cesse : « le vin, c'est mille et un détails ». Savoir s'entourer, apprendre à déléguer et à faire confiance ont été des étapes importantes. J'ai compris aussi qui j'étais et quel était le sens profond de ma vie. Cela m'a apaisé et a renforcé ma volonté de créer à mon tour et de révéler les terroirs et la culture de notre région, en France et dans le monde. Mon métier est une épreuve continue d'humilité, liée aux caprices du climat, à la bonté de la nature et à une alchimie nécessaire pour produire des vins d'exception.

« Si tu veux tracer un sillon droit, accroche ta charrue à une étoile », a écrit Antoine de Saint-Exupéry. Cette métaphore est tout à fait adaptée à ma vision de la viticulture. J'ai toujours voulu osciller entre le très bon, l'excellent et l'exceptionnel. L'excellence est mon guide, ma petite voie. C'est parfois éprouvant pour moi, mais aussi pour mes collaborateurs, mes complices. C'est simplement le prix à payer pour produire d'une année sur l'autre, et en respectant la typicité du millésime, des vins garantissant une qualité, une origine et un savoir-faire. Le savoir-faire est essentiel, mais le faire savoir est son *alter ego*. Indispensable pour partager avec ses clients et ses consommateurs une expérience, un message, un art de vivre.

Je souhaite continuer à vivre pleinement cette vie dédiée à la création de vins de témoignage et à partager l'expérience de ma région du Sud avec les amoureux, de plus en plus nombreux, de nos vins. J'ai la volonté de continuer à éduquer, à transmettre à ceux qui souhaitent s'investir dans cette région, qui porte en elle une histoire, une culture et une charge affective liées à la civilisation méditerranéenne.

Tous ceux désirant partager avec nous cette aventure humaine sont les bienvenus. Nous sommes heureux d'avoir fait naître d'ores et déjà un nouveau paradigme, et nous allons continuer à écrire, ensemble, de belles tranches de vie afin de célébrer l'art de vivre les vins du Sud.

Postface

Agir rend heureux

Je dis souvent qu'agir rend heureux, et j'en ai encore eu la preuve quand j'ai rencontré Gérard. Il partage cette énergie et cet enthousiasme contagieux de ceux qui veulent transformer le monde. Il porte en lui à la fois ce côté prêcheur illuminé que j'adore, quand il développe la biodynamie sur tous ses domaines, et ce côté homme d'affaires prospère quand il parvient à transformer ses rêves en réalité. Le tout avec tellement de charisme que, lorsqu'on l'entend, on a envie de boire son vin.

Comme tous les vignerons, il produit plus qu'une boisson alcoolisée : il apporte du plaisir et de la convivialité. Et cela, je l'ai réalisé brutalement il y a environ dix ans, à La Nouvelle-Orléans, lorsque l'hélicoptère dans lequel je volais s'est écrasé. J'aurais dû mourir et j'ai pleuré de joie d'être encore en vie. J'ai voulu appeler ma femme... Et j'ai demandé un verre de vin. Parce que dans cet univers anglo-saxon, médicalisé et étranger où je me trouvais, le vin me rappelait mes amis et mon pays. Parce que je voulais être auprès des êtres qui me sont chers et profiter de leur chaleur. Et tout cela allait avec du vin.

La convivialité, le partage, l'envie d'être avec les autres, la joie de s'ouvrir à eux font partie de l'univers du vin comme de celui du développement durable. Et pour Gérard comme pour moi, l'écologie est un humanisme : c'est un chant d'amour, car pour protéger la planète, il faut d'abord l'aimer. Au-delà des paroles, cette sensibilité commune a fait que nous sommes très vite devenus amis.

Aujourd'hui, Gérard a choisi de soutenir financièrement l'action de ma fondation – qui s'appelle GoodPlanet, parce qu'elle tente de faire surgir le bien qui existe, en fait, sur cette Terre. Je l'en remercie ici chaleureusement.

J'espère que lorsque vous saurez que chacun des exemplaires de ce livre contribue à mettre en œuvre des projets de terrain, cela vous apportera, au-delà du plaisir de la lecture, la satisfaction de participer à rendre notre monde meilleur.

Yann Arthus-Bertrand,
Président de la fondation GoodPlanet

Bibliographie sélective

Klein, Étienne, *Petit voyage dans le monde des quanta,* éditions Flammarion
Ortoli, Sven et Pharabod, Jean-Pierre, *Le Cantique des quantiques*, éditions de la Découverte
Steiner, Rudolf, *Cours aux agriculteurs*, éditions Novalis
W. Hawking, Stephen, *Une Belle Histoire du temps*, éditions Flammarion
Zeland, Vadim *Transurfing,* éditions Exergue

Crédits photographiques

Table

I – Parcours initiatique

II – Les propriétés

III – Les parcelles

IV – Retour vers le futur

Gérard Bertrand

Le Vin à la belle étoile

1

2

3

1. La grand-mère de Gérard, Paule
2. Georges et Geneviève, ses parents, le jour de leur mariage
3. Avec sa sœur, Guylaine

4

5

6

4. Ingrid, Gérard, Emma et Mathias
5. Georges Bertrand en dégustation
6. Georges et Gérard en vacances
7. Emma Bertrand goûtant les raisins durant les vendanges
8. Mathias Bertrand goûtant les raisins durant les vendanges

7

8

9

10

11

9. Le premier match de Gérard avec l'équipe de Saint-André
10. L'équipe entraînée par le père de Gérard, championne de France Honneur
11. L'équipe de Narbonne lors de la victoire du challenge Yves du Manoir
12. L'équipe de France VII à Hong-Kong

12

13

13. Les chevaliers de l'Art de Vivre

14. Gérard et son ami Jean-Luc Piquemal

15. Yann Arthus-Bertrand, Jean-Pierre Rives et Gérard durant le Festival Art de Vivre

14

15

16

17

16. Jacques Michaud
17. Les amis de Gérard : Yuri Buenaventura, Claude Spanghero, Richard Astre et Didier Codorniou
18. Le Festival de Jazz
19. La patrouille Breitling en démonstration au-dessus du Château L'Hospitalet

18

19

20

21

20. Château de Quéribus
21. Château de Peyrepertuse
22. Domaine Cigalus
23. Château Laville-Bertrou
24. Château L'Hospitalet
25. Domaine de l'Aigle

22

23

24

25

26

27

28

26. Le chai d'élevage du Château Aigues-Vives
27. Château La Sauvageonne
28. Château La Soujeole
29. L'Hospitalitas
30. La Forge
31. Château Les Karantes

29

30

31

32

32. Le Viala
33. Les vignes du Clos d'Ora
34. Équipe des domaines
35. Équipe de direction élargie
36. Équipe américaine

33

34

35

36

37

38

39

37. Gérard avec Jean-Claude Berrouet, Gyslain Coux et Jean-Baptiste Terlay en dégustation
38. Marc Dubernet et Gérard dans le chai
39. Gérard et son ami Tanaka
40. Cap Insula, le bâtiment
41. Cap Insula, la cuverie
42. La cave du Clos d'Ora, le chai

40

41

42

43. Clos d'Ora 2012, premier millésime

Gérard Bertrand

Le vin quantique

Afin de donner du sens à mon intuition consistant à comprendre le caractère informationnel du vin, j'ai rencontré une équipe de chercheurs français dont les travaux m'ont fortement interpellé. Pour la première fois, j'ai en effet vu comment pouvait se matérialiser concrètement le message du vin.

Je ne résiste évidemment pas à l'envie de partager avec vous quelques-unes de ces images qui, même si elles demandent encore à être approfondies dans leur étude, montrent tout simplement la force et la beauté qui émanent de tous ces processus naturels.

La technique utilisée par ces chercheurs de la société Electrophotonique Ingénierie, dirigée par Georges Vieilledent, est celle de l'imagerie macroscopique par effet de couronne. Il s'agit d'une toute nouvelle technologie permettant de mettre en évidence des informations jusqu'à présent non observées. Son principe consiste à soumettre un objet matériel à un champ électromagnétique spécifique dont l'effet révèle des caractéristiques propres à l'échantillon étudié.

J'ai pu assister à certaines des expériences menées. Monsieur Georges Vieilledent vous explique comme cela se passe concrètement :

« À l'aide d'une pipette, le technicien prélève une goutte du vin à tester et la place en suspension, au plus près d'une électrode transparente.
Le noir étant fait dans le laboratoire, il déclenche alors le champ électromagnétique spécifique à partir d'un générateur couplé à cette électrode. Ceci a pour effet de créer ce que l'on appelle un "effet de couronne". Cette technique est bien connue des scientifiques et a déjà de nombreuses applications industrielles sauf que, en l'occurrence, le générateur

inédit utilisé révèle des informations appelées "luminescences" qui vont bien au-delà de ce que l'on a coutume d'observer. L'effet de couronne ainsi provoqué est instantanément enregistré, dans le spectre UV, par une caméra scientifique de très haute définition associée à son optique tout aussi spécifique.

Le résultat est saisissant ! En quelques secondes et avec l'aide d'outils d'imagerie scientifique, on peut ainsi "voir" son vin comme on ne l'avait jamais vu auparavant. Une foultitude d'informations, de couleurs et de formes apparaissent et se dévoilent comme autant de particularités plus émouvantes les unes que les autres. Mais au-delà de cette beauté naturelle qui se révèle sous nos yeux, ce sont aussi des grandeurs parfaitement quantifiables même si elles répondent à des termes aussi abscons que *mean, std, energy* ou autre *entropy*.
Des valeurs qui viennent révéler l'infiniment petit et subtil à l'échelle de notre entendement.

L'intérêt de cette technique est triple :

— À partir d'un objet macroscopique (c'est-à-dire à notre échelle), elle permet d'observer des phénomènes énergétiques de nature quantique. Concrètement, ces phénomènes se traduisent par l'émergence et la propagation de "flux photoniques" complexes (ces flux peuvent être considérés comme des "paquets" d'énergie élémentaires échangés lors de l'absorption ou l'émission de lumière par la matière) qui, en fonction de l'objet étudié, vont en définir des signatures propres. Il s'agit là d'une approche quantitative.

— L'homogénéité de ces flux donne encore de précieuses indications sur la stabilité physicochimique de l'échantillon étudié. Ce point est le plus délicat, qui demande encore à être approfondi par de minutieuses études.

— Enfin, leur agencement spatial témoigne de la qualité informationnelle dont l'échantillon est porteur. On entre ici de plain-pied dans la notion de "champ vibratoire informationnel" et c'est bien là tout l'intérêt de cette technique d'imagerie qui, pour la première fois, est capable d'en montrer, de manière reproductible, l'existence.

De quoi s'agit-il ? Comme les ondes acoustiques, la lumière peut véhiculer une "chose" plus immatérielle qualifiée d'information. Celle-ci s'échange, par ce moyen, entre deux êtres capables d'en comprendre le message. À ce titre, la "télévision" en est la plus évidente démonstration où le "codage" son et image permet de diffuser au plus grand nombre tout type de message. Au départ, il ne s'agit pourtant que d'une question d'ondes.

Dans le cadre de l'imagerie par effet de couronne, l'organisation spatiale et la géométrisation des flux photoniques donnent, là encore, de précieuses indications sur l'état plus ou moins organisé de la matière étudiée. La question se pose de déterminer l'origine de cette information capable de se révéler ainsi à travers l'échantillon et donc d'y révéler "quelque chose" d'immatériel ayant présidé à son émergence. »

Sans entrer dans des détails trop techniques qui dépasseraient le cadre de cette présentation, voici comment, pour le vin quantique, se matérialisent ces trois éléments-clés d'un point de vue "visuel".

Signature révélée sous imagerie par effet de couronne

Observez la densité et la régularité de la couronne du vin quantique ainsi que l'étendue des champs révélés par rapport à ceux du vin conventionnel.

Clos d'Ora 2012

Vin conventionnel

Homogénéisation des flux

Observez le vin extérieur témoin et le « brouillard » généré qui témoigne d'un produit cultivé qui ultime en agriculture conventionnelle.

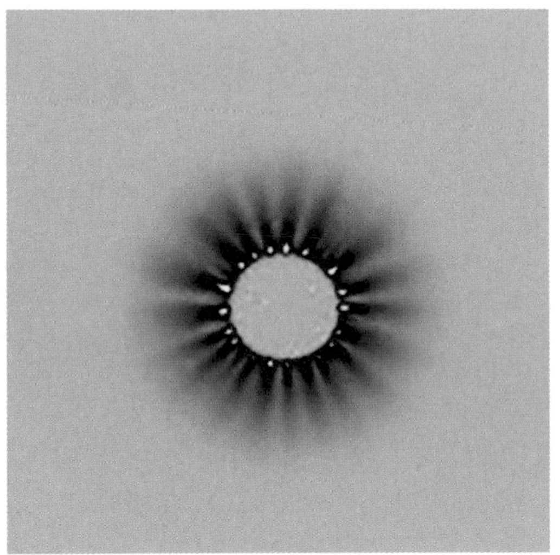

Clos d'Ora 2012

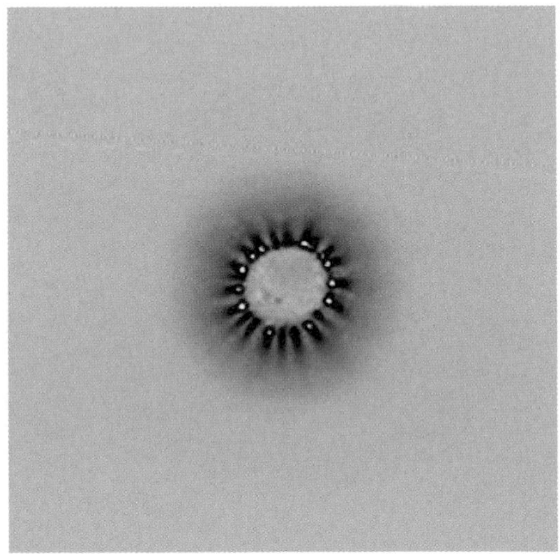

Vin conventionnel

Agencement spatial

Observez la géométrisation parfaite et la projection uniforme des flux de ce Clos d'Ora 2013 en devenir.

Clos d'Ora 2013, échantillon 1
(brut de barrique)

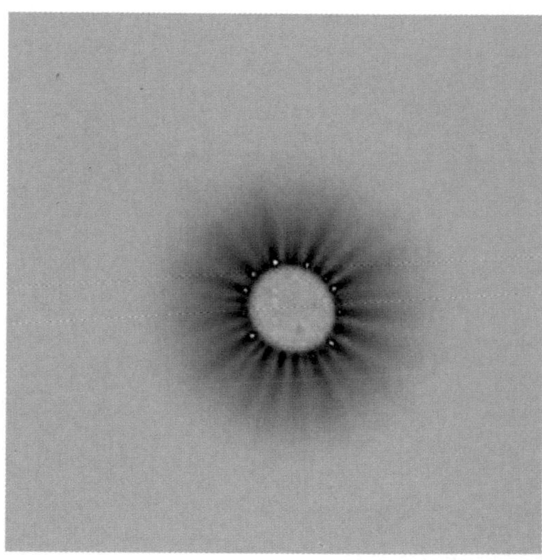

Clos d'Ora 2013, échantillon 2
(brut de barrique)